LE JE
Pour mieux
développer
son autonomie

Couverture : Les productions graphiques ADHOC

LES ÉDITIONS PRIMEUR INC.
2069, rue Saint-Denis
Montréal H2X 3K8
Tél. : (514) 285-1738

Distributeur :
Les Presses de la Cité
9797, rue Tolhurst
Montréal H3L 2Z7
Tél. : (514) 382-5950

Dépôt légal, 1er trimestre 1984
Bibliothèque nationale du Québec

ISBN 2-89286-032-6

Geri Rini
LE JE
Pour mieux
développer
son autonomie

PRIMEUR
PSYCHOLOGIE

TABLE DES MATIÈRES

À L.D.

Je tiens à remercier très chaleureusement Cécile Racine pour son « cœur à l'ouvrage » et sa grande disponibilité, ainsi que Monique Dubois pour son support absolument extraordinaire tout au long de la rédaction de ce livre.

INTRODUCTION

En cette époque de changements rapides et souvent bouleversants, de plus en plus de gens luttent désespérément pour maintenir leur équilibre. Ils sont accablés par des sentiments d'isolement, de déception et de dévalorisation qui sont souvent aggravés par la douloureuse sensation de ne rien pouvoir faire pour changer les événements, pour arrêter les processus en cours ou pour agir sur leur milieu.

En arriver à cette capacité d'agir sur les événements et sur les personnes est un art qui s'apprend. D'ailleurs, l'état d'impuissance décrit précédemment est également le résultat d'un apprentissage réalisé par l'être humain au cours de sa vie ; c'est le produit d'essais et d'erreurs, d'expériences traumatisantes et aussi d'expériences satisfaisantes et agréables. La majeure partie de cet apprentissage nous est imposé par la société dans laquelle nous vivons, par l'éducation, par les valeurs véhiculées dans notre famille, dans notre culture, etc. Ce qui ne relève pas de cet apprentissage constitue le résultat des efforts de l'individu pour composer avec les expériences successives qui lui arrivent tout au long de sa vie. En d'autres mots, il s'agit du répertoire d'actions et de réactions par lesquelles chaque personne s'assure une position confortable et agréable avec les autres. Par exemple, une personne utilise un certain ton et un certain comportement pour obtenir un prêt à la banque et un autre comportement pour avoir la paix quand il a mal à la tête et que son fils fait du bruit.

Un répertoire de comportements donné est satisfaisant en autant que le milieu et les personnes de cet environnement demeurent relativement stables. Quand les changements se succèdent d'une manière si rapide que l'être humain n'a pas le temps de s'y familiariser ni d'en prévoir les conséquences, on assiste alors à un écroulement des structures : la personne se sent de plus en plus insécure, insatisfaite et impuissante.

La restructuration d'un comportement visant à restaurer la satisfaction a toujours été la tâche privilégiée des spécialistes tels que psychologues, psychiatres, travailleurs sociaux, sociologues, etc. Par le biais de diverses théories et techniques, ils amènent l'individu à faire une analyse de ses problèmes, en prenant pour acquis que s'il peut trouver le pourquoi ou la cause de son malheur, il sera en mesure d'être mieux ensuite. Maintes « causes » sont trouvées par ces méthodes, et les « points déclencheurs » de l'insatisfaction découverts. Cependant, l'expérience et une nouvelle approche de la causalité ont démontré qu'aucun facteur isolé ne pouvait être tenu responsable du résultat final, que le comportement humain constituait la somme de plusieurs composantes variant en intensité et en importance dans un espace et un temps donnés. Par exemple, deux enfants jumeaux élevés dans la même famille avec les mêmes parents, la même éducation, la même culture et la même discipline deviennent deux individus différents et non deux individus identiques. Donc, limitée à la quête des pourquoi, la personne n'est pas plus renseignée sur le *comment* elle est parvenue au résultat actuel ni sur la manière dont elle peut s'en sortir ou prévenir la répétition de ces situations désagréables. En d'autres mots, comment un individu peut-il ne plus être une victime enracinée dans des réactions spécifiques mais une personne libre d'agir ? Comment ne plus être ballotté au gré des événements mais conscient de son pouvoir ? Comment ne plus être dépendant mais indépendant ? Non plus triste mais heureux ?

Aujourd'hui, de plus en plus de gens entreprennent de réaliser des choses par eux-mêmes : bâtir un foyer, fabriquer des meubles, assembler un appareil stéréophonique, préparer son pain, accoucher naturellement, planter un potager... Il est également possible pour les adultes d'effectuer des changements à l'intérieur d'eux-mêmes de façon consciente, structurée et valable, afin de passer de l'état de victime dépendante et triste à l'état d'individu autonome et heureux, d'initier une démarche personnelle qui favorisera leur propre développement et qui, par le fait même, mettra un terme à l'impasse, à l'impuissance, à l'échec et à la défaite.

Beaucoup de gens ne savent pas *comment* organiser leur vie, *comment* agir au lieu de réagir. Ils sont trop souvent accaparés par le pourquoi de leurs problèmes et manquent ainsi l'essentiel de tout ce qu'ils vivent. De quelle manière une personne peut-elle favoriser son développement ?

Tout d'abord en tenant compte de certains éléments simples de base. Le développement d'un individu consiste en une graduelle accession à l'autonomie, ce qui lui permet d'agir pour soi et par soi, au moment voulu. L'autonomie s'avère la principale caractéristique de la personne indépendante et heureuse. Il est à remarquer cependant que l'autonomie implique le soi, le JE, comme nous l'appellerons tout au long de ce livre. Chaque personne a un JE. Il est donc possible à tout individu de devenir autonome, car développer son JE revient à favoriser son accession à l'autonomie.

Il est à la portée de chacun de devenir conscient de son JE, de connaître sa force, de savoir comment l'utiliser, à tout moment, avec n'importe qui et dans n'importe quelle circonstance. Le pouvoir d'un JE grand et fort ne connaît pas d'inertie, son adaptabilité est considérable et sa capacité d'organiser autour de lui les éléments importants de sa vie en est de beaucoup améliorée.

Comment une personne peut-elle opérer des changements de cet ordre ? En devenant consciente de son pouvoir et des instruments dont elle dispose pour réaliser ces changements. Le but de ce livre consiste justement à familiariser le lecteur avec *son* pouvoir de changement et avec *ses* propres instruments.

D'ailleurs, les instruments sont très simples ; c'est leur utilisation qui s'avère plus difficile. Si nous avons perfectionné à travers vingt, trente, quarante ou cinquante ans certains répertoires de comportements pour assurer notre équilibre, ce n'est pas à la simple lecture d'un livre que le tour sera joué... Les instruments ne deviennent efficaces — tout comme ceux que nous possédons actuellement — qu'avec la pratique. Cependant, le taux de réussite est directement proportionnel au désir d'amélioration. La frustration, engendrée par ce qu'on ne veut plus, ou n'aime pas, constitue le moteur par excellence pour effectuer des changements dans notre personnalité.

Ce livre ne se veut pas un remplacement des services dispensés par les professionnels mais, plutôt, un manuel pour l'adulte désireux de vivre plus en harmonie avec lui-même et avec les autres. Il est à remarquer que les bénéfices découlant d'une plus grande autonomie sont multiples. Non seulement la personne concernée en profite-t-elle, mais tout le monde qui l'entoure également.

Première partie

Le JE en relation avec soi-même

L'autonomie par les actes

Le développement de la personne, donc du JE, consiste en une graduelle accession à l'autonomie, qui permet d'agir pour soi et par soi, au moment voulu. Cette autonomie constitue même la principale caractéristique de la « personne-JE ». Et pour devenir autonome, il faut parvenir à différencier son JE de celui des autres, c'est-à-dire parvenir à établir une distinction claire entre son soi et le soi des autres.

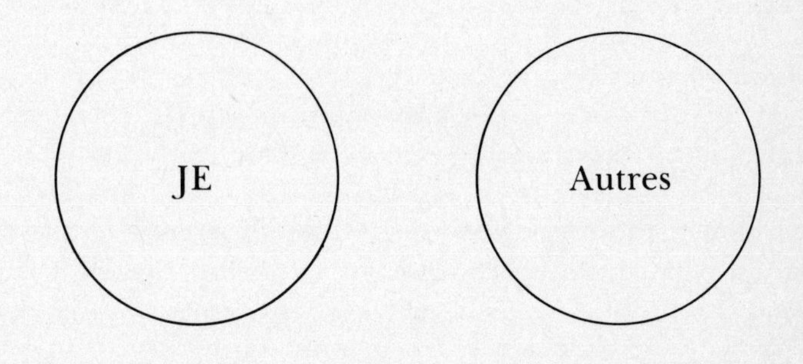

LE PROCESSUS DE DIFFÉRENCIATION DU JE

Quand un être humain arrive au monde, il se trouve dans un état de totale dépendance par rapport aux autres, autant pour satisfaire ses besoins physiques que ses besoins affectifs. Il ne peut rien pour lui-même ; sans les autres, il mourrait. Le jeune nourrisson ne se distingue pas du milieu environnant ni des personnes qui le composent. Il se confond, au contraire, avec son entourage.

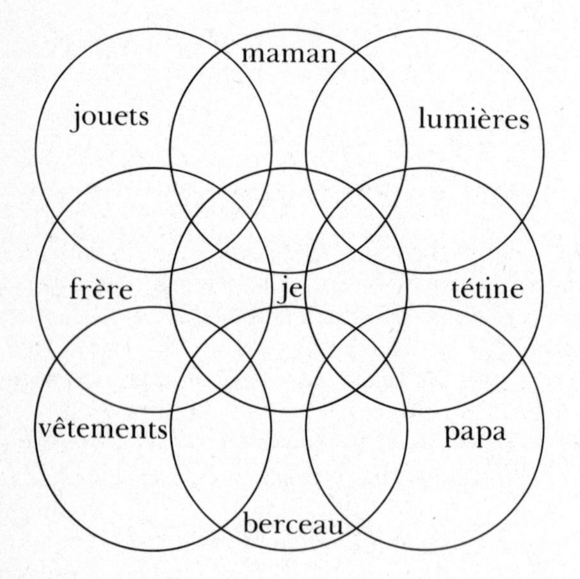

C'est le processus de différenciation qui lui permet de discerner son JE de celui-ci des autres. Être capable d'établir où on finit et où commencent les autres constitue un des principes fondamentaux de l'autonomie. Sans cette condition de base, l'individu demeure toujours dans un état de dépendance ; il ne peut être indépendant des autres ou de son milieu s'il ignore qu'ils sont distincts de lui-même.

Ce processus de différenciation peut s'avérer long ou court, être complet ou demeurer inachevé. Certains adultes ne l'effectuent même jamais, et passent leur vie entière dans un état de dépendance, leur JE s'entremêlant à celui des autres.

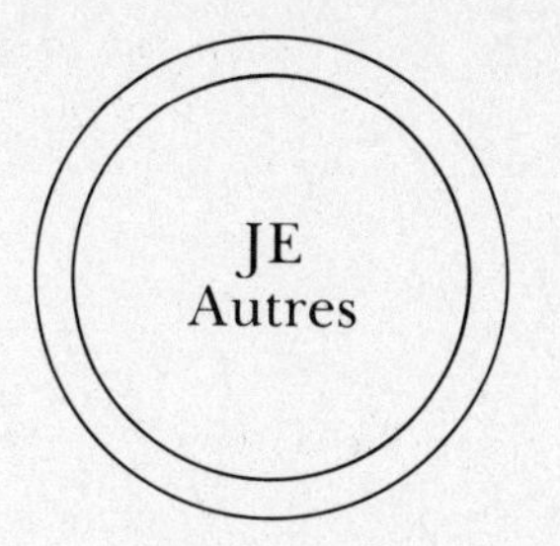

Leur bonheur est fonction de ce qu'ils reçoivent des autres. Ces individus ne peuvent jamais être des « personnes-JE » tout simplement parce que leur JE n'existe pas réellement mais seulement à l'état latent, voilé derrière un mur qui s'appelle « les autres ». Leur JE ne s'exerce pas, pour soi ou par soi ; ce sont les autres qui agissent.

Ce sont les adultes entourant l'enfant qui entament en premier lieu son processus de différenciation, en soulignant le fait que le bambin occupe un espace donné, séparé du leur et en véhiculant les notions de « le mien », « le tien », « le leur », etc. Par ces faits mêmes, ils aident à établir chez le jeune enfant la distinction entre ce qui appartient à son JE et ce qui appartient au JE des autres.

Au fur et à mesure que l'enfant élargit son monde, en rampant ou en marchant, l'idée qu'il forme une entité à part, séparée des autres et de son milieu, lui est constamment rappelée par les objets qu'il heurte dans l'espace, par les copains de son âge qui lui arrachent son jouet ou par la cuillerée de fruits qui disparaît de sa bouche. Ces milliers d'expériences répétées jour après jour, autant sur le plan auditif que visuel ou tactile, aident le jeune enfant à enregistrer dans son cerveau cette réalité de la séparation de son corps de celui des autres. À la longue, l'enfant parvient à la notion de séparation physique des autres.

Par contre, la différenciation entre soi-même et les autres sur le plan émotionnel s'avère beaucoup plus difficile à assimiler, parce que les émotions sont étroitement liées aux actes et aux gestes qu'on nous destine quand on est tout jeune. Par exemple, être imbriqué avec cet objet qu'est un biberon rempli de lait chaud procure un sentiment de sécurité et de bien-être au bébé qui a faim. Il est impossible à un enfant de cet âge de distinguer le biberon du sentiment de bien-être qui l'accompagne.

Mais la différenciation affective consiste justement à distinguer les émotions des objets ou des personnes qui les procurent. Cette capacité s'avère peu développée chez les personnes non autonomes et dépendantes ; leur bonheur est directement proportionnel à ce que les autres peuvent leur donner.

Deux questions importantes se posent ici. — Comment procéder à une définition de soi au point de devenir un JE ? Comment aider ce processus de différenciation du JE ?

Plusieurs facteurs composent la personne ; celle-ci se compare à un immense réservoir où son stockés des informations dues à l'éducation, à l'âge, aux expériences passées, au milieu socio-culturel, au caractère, à l'hérédité, au potentiel intellectuel, etc. Une foule d'éléments entrent en ligne de compte, et chaque personne est le résultat plus ou moins heureux de l'ensemble de ces facteurs.

L'individualité, l'aspect unique de chaque personne constitue donc la première réalité à retenir quand on pense : « Mon JE est différent de tous les autres. » Nous n'avons qu'à regarder, à l'intérieur d'une famille, à quel point les enfants naissant des mêmes parents, recevant la même éducation, vivant les mêmes expériences et étant du même sexe sont différents. Tout ce que les humains possèdent en commun est leur appartenance à la race humaine et le fait de vivre sur cette terre ; leurs ressemblances s'arrêtent à peu près là.

Donc, une partie des règles que nous appliquons dans notre vie nous ont été transmises par nos parents, de même que certaines valeurs importantes pour eux, telles que : « On ne se choque pas », « Il faut à tout prix garder la face », « On fait aux autres ce qu'on aimerait qu'ils nous fassent », etc. Un autre ensemble de règles nous viennent, d'autre part, de la société, de notre éducation et de notre religion : on arrête aux feux rouges, on s'habille en public, on ne vole pas, on doit aimer son prochain (père, mère, frère, soeur...), etc. Toutes ces règles sont imprimées quelque part à l'intérieur de nous. Leur origine est plus ou moins connue, leur présence plus ou moins consciente. La somme de tous ces éléments familiaux et sociaux constitue des règles et des valeurs qui nous ont été imposées par les autres.

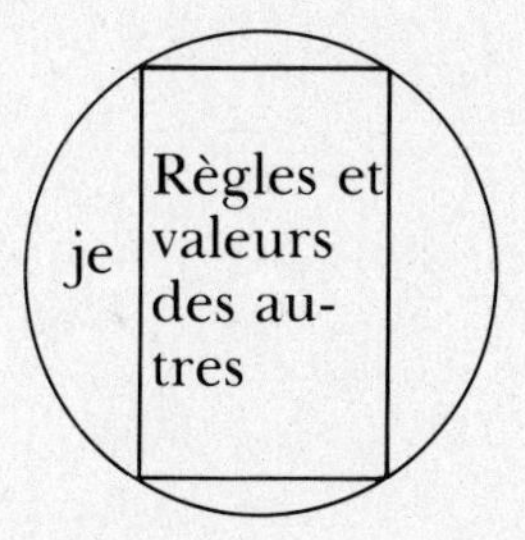

C'est pourquoi il est si difficile de discerner ce qui est à soi de ce qui provient des autres. Le JE demeure par ce fait même confus et sans définition, sans pouvoir de contrôle ou de croissance — ce qui porte à agir en vue de répondre aux exigences ou aux attentes des autres plutôt que de poser un acte autonome.

Il s'avère donc de première importance de « revisiter » ces acquis. Quatre verbes peuvent nous aider à opérer cette distinction entre les valeurs du JE et celles des autres : ce sont d'abord les verbes « falloir » et « devoir ». Ces derniers véhiculent, sans possibilité de doute, les valeurs des autres :

« Il faut que tu fasses semblant de rien... »

« Tu devrais aller voir ! »

« Tu ne dois pas faire cela ! »

« Il ne faut pas que tu... »

En opposition à ces deux expressions se trouvent les verbes « vouloir » et « aimer », qui représentent le véritable JE. Un premier coup d'oeil dans l'immense réservoir de la personne en quête de la définition de son JE permettra donc d'établir deux listes : l'une intitulée *Je veux et j'aimerais* et l'autre *Je dois et il faut.* Le JE se définit donc par ce qui se situe dans la liste des *Je veux et j'aimerais.*

Se développer consiste à atteindre un niveau de plus en plus grand d'autonomie. La phrase « Je veux... » fournit la clef de la connaissance de ses propres besoins ; par conséquent, une personne désirant vivre d'une manière plus personnelle, au lieu de vivre en fonction des valeurs des autres, doit découvrir ce qu'elle veut. C'est ici que commence la différenciation du JE.

LA MULTIPLICITÉ DES CHOIX

Chemin faisant, l'individu aura des choix à faire au sujet d'une foule de choses, à chaque minute de sa vie, car devenir autonome et développer son JE n'est rien d'autre que d'être capable de prendre des décisions en harmonie avec soi-même parmi la multiplicité des choix.

Dans la vie, beaucoup de choix s'effectuent automatiquement ; il n'est pas nécessaire d'élaborer consciemment chacun d'entre eux à chaque fois. Ainsi, il est rare qu'on ait à se demander : « Est-ce que je prends une fourchette ou une cuillère ? », « Comment est-ce que je me comporte en société ? », « Est-ce que je m'habille ? », « Est-ce que je parle ? ». Ces choix automatiques résultent d'un entraînement qu'on appelle les manières, la bienséance. Ces règles reflètent la normalité acceptée par l'ensemble des gens ; elles sont assimilées, inscrites en nous et on les utilise automatiquement, pour répondre à des situations appropriées. Effectuer ce genre de choix automatiques exige peu de réflexion. Cependant, il existe des choix qui requièrent davantage d'énergie et d'application consciente.

Une décision consiste à effectuer un choix entre au moins deux possibilités ; cet acte est difficile. On se demande :

« Devrais-je ou ne devrais-je pas ? »

« Je ne sais pas... »

« Je veux, mais... »

Pour être autonome ou pour apprendre à décider, il faut se résoudre à affronter le choix. Or, il existe quatre différents types de choix.

On compte d'abord le choix entre des choses faciles. Par exemple, un matin, une personne peut avoir à décider si elle va ou non cuisiner un gâteau pour le dessert du souper. Elle a envie de faire ce gâteau, mais son emploi du temps est déjà passablement chargé. Dans ce cas-ci, peser le pour et le contre se révèle peu complexe.

Éléments du choix

Je veux cuisiner un gâteau.	*Je ne veux pas* être bousculée par le temps.

Les conséquences, si on poursuit une ligne de conduite ou une autre, se devinent aisément.

Conséquences

Si je ne prépare pas de gâteau, je pourrai me reprendre.	Si je surcharge mon avant-midi, ça risque de me mettre de mauvaise humeur.

Ou encore, une personne place sa commande pour son déjeuner d'affaires.

Éléments du choix

Je commande un apéritif et un carafon de vin.	*Je ne commande pas* d'alcool.

Conséquences

Je me fais plaisir, mais je m'endors après.	Je me prive d'un plaisir, mais je ne m'endors pas après.

Il s'agit donc ici d'un choix entre deux choses faciles; ce type de décision interpelle toutefois un niveau d'autonomie plus élevé que les choix automatiques, tels que ceux vus précédemment.

Un deuxième type de choix consiste à prendre une décision au sujet d'éléments d'égale importance, ce qui équivaut à se trouver entre deux feux. On peut, par exemple, se demander : « Est-ce que je vais souper, ce soir, avec une amie, ou bien est-ce que je mange à la maison avec mon conjoint, mon fils et son amie ? » Dans ce cas, les éléments du choix sont connus mais plus complexes, parce que plus de gens sont en cause. Et les conséquences ne se concilient pas toujours facilement et ne sont pas toujours faciles à imaginer, puisqu'il s'agit des réactions des autres. La personne peut savoir que son fils serait heureux si elle recevait son amie mais, par contre, elle-même se réjouirait aussi d'aller souper seule avec son ami/e. Elle sait également que son conjoint risque d'être mécontent de son absence. Ou encore que l'amie de son fils peut la juger mal de n'être pas présente, alors qu'elle vient pour une fois en compagnie de son fils.

On a un autre exemple de ce genre de choix quand une personne se demande : « Est-ce que je participe à tel cours avec mon conjoint ou si je joue au racquet-ball avec mes amis ? » Ici, la personne est mal placée pour décider de son action et s'assurer d'un certain niveau de satisfaction. Comment participer à un cours avec son conjoint et ne pas regretter le racquet-ball avec ses amis ? Ou comment jouer au racquet-ball et ne pas se sentir coupable devant la déception de son conjoint ?

Ces exemples démontrent qu'il s'avère souvent difficile de prendre une décision entre des actions d'égale importance.

Un troisième type de choix, encore plus complexe et faisant appel à un niveau d'autonomie encore plus élevé, consiste à choisir entre des éléments plus ou moins inconnus. Dans une telle situation, les éléments de choix ainsi que les conséquences demeurent vagues et imprécis ; on n'arrive pas à choisir, à décider, à cause de la difficulté à mettre le doigt sur les éléments déterminants. Cependant, les verbalisations et sentiments soulevés par ce type d'impasse ouvrent une brèche vers la définition et, par conséquent, la résolution des problèmes. Ce type d'impasse se manifeste quand on s'entend dire :

« J'ai tout, mais il me manque encore quelque chose... Qu'est-ce que je vais faire ? »

« Je ne me sens pas bien dans ma peau, mais je ne sais pas quoi faire. »

« Je ne sais pas ce qui m'arrive, je me sens irritable, triste, déprimée, mais... »

Le quatrième type de choix qu'un individu est appelé à effectuer, et qui met à l'épreuve son degré d'autonomie, réside dans le choix à opérer devant les événements désagréables qui surviennent et qui exigent une action de sa part. Il s'agit alors d'événements comme une crevaison, un appareil électrique qu'on vient de faire réparer et qui ne fonctionne pas, la toilette qui déborde dans la cave, le toit qui coule, un steak commandé saignant qui arrive bien cuit, etc. On a alors affaire à un autre type de choix, qui exige la participation du JE sans préavis.

L'IDENTIFICATION DES BESOINS

Comment parvient-on à prendre une décision autonome, à agir comme un JE autonome, qu'il s'agisse d'un type de choix ou d'un autre ?

Une décision autonome est prise par soi et pour soi.

Cependant, pour y arriver, on doit d'abord savoir qui est ce soi. On ne peut connaître son JE qu'en se référant à ses besoins personnels. Le mot « personnel » prend ici toute son importance ; il signifie que les besoins en question concernent la personne elle-même et non les autres.

Une décision autonome se base toujours sur les besoins personnels.

Les besoins personnels diffèrent d'un individu à l'autre, à cause de la nature unique et individuelle de chaque personne. Seuls les quatre grands besoins physiologiques (se nourrir, éliminer, dormir et se reproduire) et les deux besoins affectifs (vouloir appartenir à quelqu'un ou à quelque chose, ainsi qu'être accepté et approuvé de quelqu'un) sont communs à tous les êtres humains. Ensuite, les besoins personnels divergent non seulement d'un individu à l'autre, mais aussi dans leur degré d'importance.

Ainsi, ce qui revêt une importance primordiale aux yeux de quelqu'un peut paraître banal ou dérisoire pour quelqu'un d'autre. En voici une illustration :

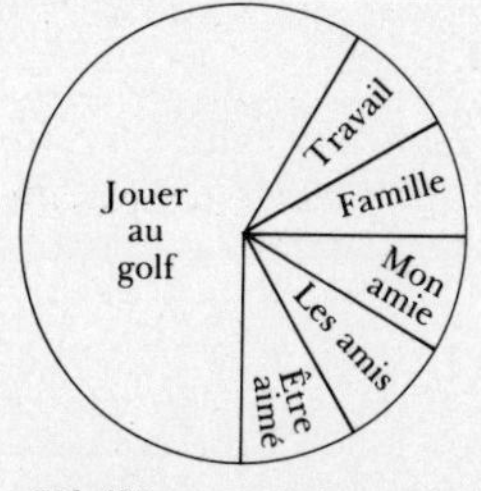

Philippe 24 ans

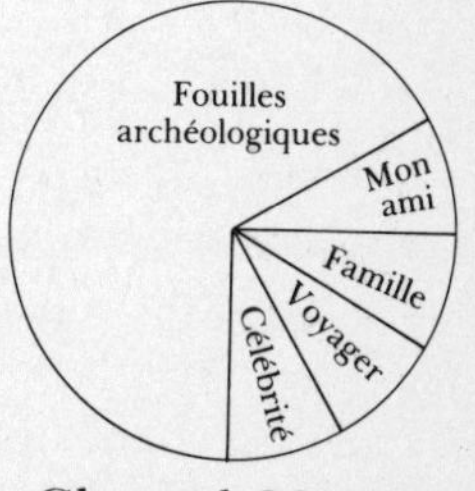

Chantal 28 ans

Philippe, vingt-quatre ans, adore jouer au golf ; il en rêve et passe tous ses moments libres à pratiquer son sport préféré. Même sa famille et son travail passent en second lieu. Sa bien-aimée est au désespoir : pour le voir, il faut qu'elle aille le trouver au club de golf !

Il en va de même pour Chantal, vingt-huit ans ; elle est tellement prise par les fouilles archéologiques que le besoin de devenir célèbre ou de répondre aux avances amoureuses de son ami n'arrivent pas à la détourner de son besoin de fouiller le sol.

L'aspect unique, propre à chaque être humain, joue ici un très grand rôle. Aucune personne n'étant identique à une autre, aucun de ses besoins n'est par conséquent identique, ni n'occupe la même importance que ceux des autres.

Toutefois, comment peut-on en arriver à connaître ses vrais besoins, surtout quand ceux des autres sont en partie enracinés en nous ? Ou y parvient de la même manière qu'on procède pour découvrir ceux des autres : en écoutant. Il est en effet possible de s'asseoir et de s'écouter, comme si on écoutait un ami en visite. Nos besoins personnels sont véhiculés par les expressions « Je veux... », « J'aimerais... », « Je souhaite... ». Ces trois formulations révèlent, comme des signaux, les besoins présents chez quelqu'un. Par conséquent, chaque fois qu'une personne peut employer ces expressions, c'est son vrai JE qui se manifeste. *Et ces propos devront être pris au sérieux.* On ne soulignera jamais assez l'importance de cette écoute intérieure de soi, car c'est ici que commence le développement de la personne, c'est ici que repose l'embryon de l'autonomie.

Mais il n'est pas toujours facile de dire ce qu'on veut ou ne veut pas, ce qu'on aimerait ou n'aimerait pas. Nous regarderons maintenant, outre les quatre types de choix, les difficultés inhérentes à l'expression de soi et les manières de prendre une décision autonome.

LA PRISE DE DÉCISION AUTONOME

Examinons donc comment quelqu'un en arrive à prendre une décision autonome face aux quatre types de choix qu'un adulte est appelé à poser.

Comme on s'en souvient, dans le premier type de choix, les données en cause sont faciles et connues, aussi bien que leurs conséquences ; la décision s'avère donc peu complexe à prendre. Ainsi, revenons à l'exemple de la personne qui se demande : « Est-ce que je prépare ou non un gâteau ? » Les arguments en faveur de sa réalisation sont : « Mon conjoint aime ce dessert ; *je veux* lui faire plaisir. » Par ailleurs, les arguments contraires s'énumèrent ainsi : « Je ne jouis pas de beaucoup de temps, ma journée est déjà remplie ; si je prends le temps de cuisiner un gâteau, je serai donc coincée dans mon horaire et *je n'aime pas être bousculée.* »

Il est à remarquer que ce sont les verbes « vouloir et aimer » qui sont en évidence. Si l'argumentation était : « *Il faut* que je fasse un gâteau ; mon conjoint murmure souvent contre les pâtisseries achetées », elle devrait rayer les mots « il faut » et les remplacer par « je veux » ou « je ne veux pas », ou « j'aimerais », pour donner liberté d'expression à son propre JE.

Cette personne pourra alors décider si elle passe ou non aux actes, en arrivant ainsi à l'une ou l'autre des deux décisions suivantes : ou bien elle abandonne l'idée du gâteau, parce qu'elle déteste être pressée, et elle offre aux siens un substitut quelconque, ou bien elle prépare un dessert parce qu'elle veut faire plaisir et elle assume les conséquences de son action : être bousculée dans l'horaire de sa journée.

L'important réside dans le fait que la personne parvienne à prendre une décision. Elle peut dire, dans un cas :

> « Je fais un gâteau parce que *je choisis* de le faire, en sachant que je serai pressée dans ma journée, mais je décide de préparer quand même ce plat. »

Si elle opte au contraire pour le pôle opposé, elle peut alors dire :

> « Je ne cuisinerai pas de gâteau ; je vais offrir autre chose comme dessert, car je ne veux pas être bousculée dans mon emploi du temps. »

La personne, dans les *deux* situations, est *fidèle à elle-même.* Dans le premier cas, elle choisit librement de préparer un gâteau, en dépit de ses contraintes de temps ; elle en accepte les conséquences : « Je veux, donc je fais... » Dans l'autre cas, elle décide de ne pas confectionner de dessert, parce qu'elle « ne le veut pas ». Les aspects bons ou mauvais n'entrent pas en ligne de compte dans cette décision. Elle fait preuve d'autonomie si, faisant ou ne faisant pas de gâteau, elle agit ainsi non parce qu'*elle le doit* ou qu'*il le faut,* mais parce qu'*elle le veut.* Elle sait qu'elle prend la meilleure décision pour elle-même, qu'elle est congruente avec ses besoins, lorsque la proposition « je veux... » ou « je ne veux pas... » est implicite dans son acte.

Il en est de même pour l'individu au restaurant. L'important, pour se délivrer de son impasse, n'est pas de se demander :

« *Devrais-je* ou *ne devrais-je pas* prendre de l'alcool ? » mais plutôt :

« Est-ce que, oui ou non, *je veux* accepter les conséquences d'une position ou l'autre, c'est-à-dire me faire plaisir et m'endormir, ou remettre mon plaisir et rester bien éveillé ? »

Ce type de décision autonome paraît facile à effectuer. En effet, une décision de cet ordre apportera de la satisfaction à la personne en autant qu'elle sera capable de remplacer tous les « il faut » ou les « je dois », dans les possibilités de choix, par un « je veux » ou « je ne veux pas ».

Dans le deuxième type de choix, les éléments sont connus mais les conséquences difficiles à imaginer, à cause de la complexité de la situation. Une personne se demande, par exemple :

« Est-ce que je vais sortir pour souper avec une de mes amies qui vient d'arriver en ville, ou est-ce que je vais rester à la maison et manger avec ma famille et l'amie de mon fils ? »

Ces deux éléments de choix sont d'égale importance et, de surcroît, génèrent tous deux une charge émotive assez élevée : plaisir, culpabilité, déception, crainte de jugements, etc. La personne est donc appelée à décider de ce qu'elle va faire. Elle peut se rapprocher de sa décision en essayant de déterminer ce qu'elle veut :

« J'aimerais ou je voudrais sortir avec mon amie. »

« J'aimerais ou je voudrais rester à la maison. »

Cependant, advenant le cas où chacune de ces phrases soit suivie d'un « mais », la personne devra recourir à des méthodes plus élaborées pour s'aider à prendre une décision. Le « mais » signifie qu'elle a un pied dans le « je veux » et un pied dans le « je ne veux pas » ; elle doit parvenir à joindre ses deux pieds, d'un côté ou de l'autre, pour pouvoir enfin marcher (agir). Car, écartelé dans l'ambivalence, l'individu se retrouve paralysé et non fonctionnel.

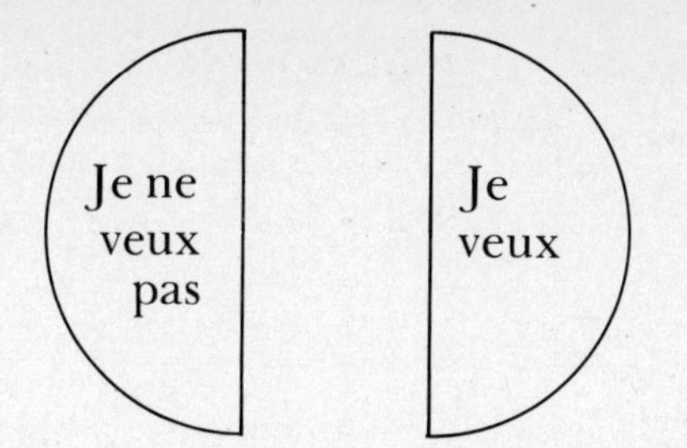

Il y a ici immobilisation et arrêt du développement — une sorte de paralysie du JE. À noter que les expressions « je ne dois pas... », « il faut que... » ou « je ne peux pas... » s'opposent à la formule « je veux » ou « je ne veux pas » qui, seule, doit exister pour être efficace.

Dans une telle situation d'ambivalence, où les « mais » s'avèrent très évidents, on peut recourir à l'utilisation de deux chaises, placées l'une en face de l'autre. La première chaise véhicule alors, pour la personne, l'idée :

« Je veux sortir ce soir avec
mon amie. »

tandis que la seconde, située en face, représente l'option :

« Je veux rester à la maison,
souper avec ma famille et avec
l'amie de mon fils. »

La personne s'assoit sur chacun de ces sièges à tour de rôle. Lorsqu'elle se trouve sur l'un d'eux, elle endosse le rôle de celui-ci. Elle s'installe, par exemple, sur la chaise représentant l'idée de sortir avec son amie, et elle peut alors se décider :

« Je veux sortir ce soir avec X. Il y a longtemps que je ne l'ai vue. J'ai le goût de la voir. J'aimerais bien profiter d'une soirée en tête à tête avec elle. Si je ne la vois pas cette fois-ci, je vais la manquer. Il se peut que je n'aie pas l'occasion de la revoir d'ici un bon bout de temps. De plus, j'en ai envie ! *Mais...* »

Au moment où le « mais » apparaît, l'individu se lève et va s'installer sur l'autre chaise. Ses pensées peuvent alors ressembler à ceci :

« Mais *je devrais* rester à la maison. Mon conjoint n'aimera pas que je sorte ce soir. Et que va penser l'amie de mon fils, si je ne suis pas là ? Elle vient si peu souvent à la maison ! Elle ne peut nous visiter plus fréquemment ; elle va venir et je ne serai pas là ? *Mais...* »

La personne change alors à nouveau de siège, tout en se disant :

« Mais j'ai envie de sortir ! J'ai le goût d'y aller parce qu'il y a très longtemps que je n'ai pas vu X. Elle semblait tellement enthousiaste au téléphone ! Mais *je ne peux pas !* »

À ce moment, la personne retourne encore sur la première chaise :

« *Je dois* rester ce soir. Ce sera beaucoup plus simple si je suis là pour le souper et si je remets cette sortie à un autre moment... Après tout, je devrais être ici ! *Mais* j'ai envie de sortir avec X ! »

Comme on le voit, l'individu change donc de chaise à tour de rôle, incarnant ainsi chacun de ses besoins. Le travail consiste à remplacer tous les « je devrais », les « il faut » et les « je ne peux pas » par des « je veux » et des « je ne veux pas », et à épuiser complètement et honnêtement les besoins représentés par chacun des pôles, jusqu'à ce que l'un d'eux prédomine. L'important ne réside pas dans la prévalence d'un choix sur l'autre, mais dans le fait que la personne *parvienne à choisir* une option comme mode d'action : « je sors » ou « je reste ». Une véritable décision autonome est alors prise et la personne n'a plus qu'à vivre selon celle-ci et à récolter la satisfaction qui en découle.

Ainsi, si la personne choisit de sortir, elle ne passera pas la soirée à penser à ce qu'elle aurait *dû* faire à la maison. Et vice versa : si elle décide de rester chez elle, elle profitera au maximum de son souper, sans gâcher son plaisir en songeant à ce qu'elle aurait pu réaliser si elle était sortie. Les décisions deviennent donc, à ce moment-là, une façon de se fixer, de fonctionner, de vivre pleinement.

Une deuxième façon d'aborder ce type de décision où les deux composantes du choix sont d'égale importance, c'est de bâtir deux listes parallèles :

Je veux J'aimerais	Je ne veux pas Je n'aimerais pas

Au fur et à mesure que les arguments viennent à l'esprit, la personne les inscrit dans la colonne appropriée. Cette activité peut durer une heure ou une semaine, dépendant de la nature du problème. Dès que les idées supportant chaque position sont épuisées, il est plus facile de procéder à une comptabilité, de déterminer quel côté contient le plus d'avantages et le moins d'inconvénients en faveur d'une prise de position.

Cette méthode est efficace à la condition que chaque élément soit inscrit au moment *où il importe le plus* pour le JE et qu'il soit appuyé par les émotions correspondantes. Très souvent, un besoin qui se révèle fort une journée est balayé le lendemain par le raisonnement (la rationalisation), par les règles des autres (« tu devrais », « il faudrait »), par la santé (« Je n'ai plus mal à la tête ! »), par la température (« Il ne pleut plus... »), par un changement d'attitude (« Il est plus gentil aujourd'hui... »), etc.

La caractéristique la plus frappante d'une frustration humaine non résolue, c'est qu'elle revient. Par conséquent, aussi bien s'en occuper tout de suite ! Plus longtemps elle demeure non résolue, plus grand est le risque qu'elle se confonde avec d'autres frustrations et devienne plus difficile à résoudre, car le sentiment de frustration demeure, mais on ne sait plus par rapport à qui ni à quoi.

Étant donné que ce type de décision autonome est difficile, quelles sont les précautions à prendre pour que la personne réussisse sa démarche ?

1° Ne travailler qu'avec les « je veux » ou les « j'aimerais », soit avec les chaises, soit avec les listes.

2° Prendre le travail au sérieux.

3° Ne pas effectuer une autre activité en même temps que ce travail.

4° Prendre le temps qu'il faut pour le faire.

Pour le débutant, ce genre de travail ne pourra être effectué s'il est engagé ailleurs en même temps ou s'il parle avec quelqu'un. L'exercice d'un JE autonome est analogue à l'exercice d'un muscle : plus il est entraîné d'une façon spécifique et précise, plus il prend de la force pour agir d'une manière spontanée et automatique. Mais pour y arriver, pour apprendre, chaque étape du processus doit être exagérée.

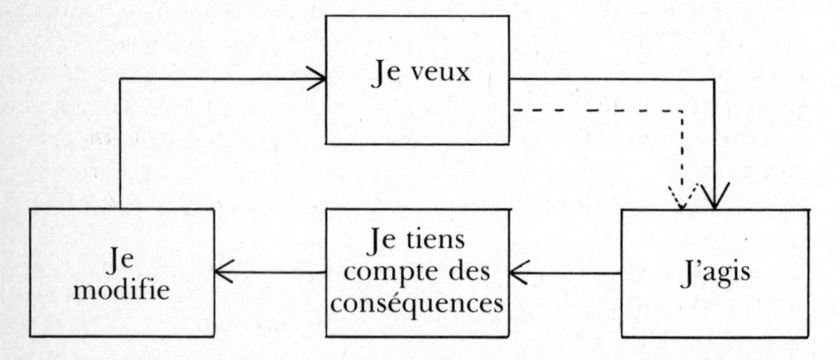

À titre d'expérience, et à l'aide de deux chaises, reprenez vous-même la situation de la personne qui est dans l'impasse quant à savoir si elle prend un cours avec son conjoint (ce qu'elle veut beaucoup) ou si elle joue au racquet-ball (ce qu'elle veut aussi beaucoup !). Qu'est-ce qu'elle décidera ? Qu'est-ce que *vous* décideriez ?

Passons maintenant au type de décision que nous sommes appelés à prendre même lorsque nous ignorons certaines données. Cette situation est caractérisée par un vague sentiment de malaise, par un état d'esprit inconfortable, par de l'irritabilité ou par une tendance à la dépression. Les personnes qui vivent cette situation traduisent leur détresse par leurs remarques acérées, amères, plaintives, du genre :

« C'est toujours moi qui prépare tout pour les réunions ! »

« Je ne suis qu'un taxi dans cette maison ! »
« Combien de fois t'ai-je dit de ne pas laisser traîner tes jouets dans l'entrée du garage ? »
« Tout ce que je fais, c'est ramasser ou nettoyer ! »
« Quand je veux faire quelque chose, tu ne veux pas ! »
« Tu ne vois pas que je suis à bout de nerfs ? »

Ces formulations sont générales, non spécifiques ; elles ne définissent pas leur objet ; elles ne verbalisent pas le sentiment, bouillonnant sous la surface, qui les a engendrées. Dans ce cas-ci, il s'agit d'isoler les objets de son irritabilité, les éléments du choix, avant de pouvoir les analyser. Donc, à partir d'un vague sentiment de malaise, en étant bien tout en ne l'étant pas, qu'y a-t-il à faire ?

L'important est d'entrer en contact avec ce qui se passe en dedans de soi-même, afin de libérer le chemin par lequel ce vague sentiment pourra remonter à la surface. Pour y parvenir, la personne qui se sent mal dans sa peau doit s'arrêter et s'isoler d'une manière ou d'une autre, en se retirant dans une pièce ou en allant marcher, etc. Une fois seule, elle peut utiliser une grille d'analyse formée de trois questions, pour localiser l'objet de son malaise et reprendre le contrôle de son JE.

La première question de cette grille se pose comme suit :

Qu'est-ce qui est arrivé ? (Le quelque chose.)

Qu'est-ce que je ressens ? (L'émotion.)

L'individu tourne alors autour de cette interrogation, pour tâcher de mettre le doigt sur son émotion. Et la réponse se manifeste intérieurement. En voici quelques échantillons :

« C'est hier soir ! Je n'étais *pas content/e (l'émotion)* quand ils ont encore planifié une réunion sans me consulter au sujet de mes disponibilités ! » *(Le quelque chose).*

« Pendant la réunion familiale, ils ont décidé que nous allions offrir *un cadeau de groupe de 1 000$!* Je ne suis *pas d'accord !* »

« Mon conjoint me dit qu'il faut qu'on s'occupe de *téléphoner au notaire* et c'est moi qui écope de la tâche ! *Ça me fâche !* »

« Pendant la réunion de famille, ils ont encore une fois fait la même chose... Chaque fois que je me trouve chez eux pour les fêtes, on dirait *qu'il n'y a que moi qui lave la vaisselle ! Je n'ai pas du tout aimé* que tout le monde sorte de table, alors qu'il y avait un tas de vaisselle à nettoyer ! Encore une fois, je me suis levé/e et j'ai plongé jusqu'aux coudes dans l'évier. »

La formule *Qu'est-ce qui est arrivé ? Qu'est-ce que je ressens ?* déloge donc souvent le foyer d'irritation. La personne sait maintenant qu'elle est en colère d'avoir fait quelque chose qu'elle n'aime pas.

La deuxième interrogation de la grille d'analyse est la suivante :

Qu'est-ce que j'aurais aimé qu'il arrive ?

La personne peut, par exemple, répondre :

« J'aurais aimé m'asseoir et que d'autres lavent la vaisselle pendant que je buvais mon thé en paix. On dirait que si moi je ne fais rien, personne ne fait rien non plus. »

« J'aurais aimé qu'ils me consultent pour la réunion (ou pour le cadeau) ! »

« J'aurais aimé, s'il veut téléphoner au notaire, qu'il le fasse lui-même ! »

L'individu sait maintenant ce qu'il n'aime pas et ce qu'il aimerait.

La dernière, et la plus importante des trois questions, se formule comme suit :

Qu'est-ce que je peux faire pour que ce que j'aimerais m'arrive ?

C'est ici que la personne, ayant localisé son foyer d'irritation, agit de sorte que la situation puisse être modifiée à l'avenir. Elle peut, par exemple, décider :

« La prochaine fois que ça va se produire, je vais rester assise, je ne laverai pas la vaisselle. J'irai au salon jouer aux cartes avec les autres. Je vais faire cela pour moi. »

« Je vais leur faire part de mon mécontentement et demander à être consultée ! »

« Je m'affirme et je leur dis ce que je veux offrir comme cadeau ! »

« Je lui dis d'appeler le notaire lui-même ! »

Examinons maintenant un autre cas :

« Ce vague sentiment de colère ou de dépression, je le ressens quand je constate que je lave et plie, chaque semaine, de seize à vingt paires de bas... qui sont toujours à l'envers ! Je n'aime pas les retourner à l'endroit avant de les laver. Combien de fois leur ai-je dit de retourner leurs bas avant de les mettre à laver ? Je suis tellement fatiguée qu'ils ne m'écoutent pas ! »

Aux premières questions *(Qu'est-ce qui est arrivé ? Qu'est-ce que je ressens ?)*, la personne répond :

« Ils ont encore laissé leurs bas à l'envers, parmi le linge sale ! Ça me choque ! »

À la deuxième interrogation *(Qu'est-ce que j'aurais aimé qu'il arrive ?)*, elle répond :

« Qu'ils retournent leurs bas à l'endroit ! Il ne faut plus que j'accomplisse cette tâche toutes les semaines : retourner les bas, les laver, puis les placer tous deux par deux... non ! Je ne le veux plus ! »

À la troisième question *(Qu'est-ce que je peux faire pour que ce que j'aimerais m'arrive ?)*, la personne rétorque :

« Je peux les laver et les ranger tel quel. C'est ce que je vais faire ! Comme ça, je ne ferai plus ce que je ne veux plus. »

Les décisions prises en réponse à la dernière question sont autonomes parce que la personne choisit ce qu'elle veut. Elle agit pour et par elle-même. Elle ne cherche pas à faire résoudre par les autres un problème qui n'en est un que pour elle-même.

Ce type d'exercice requiert de la pratique avant d'atteindre un niveau d'efficacité rapide. Les difficultés pourront surgir aux trois niveaux. Par exemple, aux deux premières questions *(Qu'est-ce qui est arrivé ? Qu'est-ce que je ressens ?)*, le novice peut être porté à s'impatienter devant le fait que la situation conflictuelle ou le sentiment en cause tarde à remonter à la surface, même en dépit d'un ou deux essais.

La meilleure façon d'éviter ce piège, c'est d'utiliser la grille d'analyse aussitôt que le sentiment de malaise devient conscient. Plus ce dernier se confond avec d'autres, plus il devient difficile à localiser et à analyser. Au pire, on peut cesser de travailler consciemment et laisser le sujet de côté. Si ce problème est important, la frustration reviendra et on sera en mesure alors de le cerner plus précisément.

Au niveau de la deuxième question *(Qu'est-ce que j'aurais aimé qu'il arrive ?)*, la personne facilitera sa tâche et évitera les fausses pistes en utilisant uniquement la formulation « j'aurais *aimé* » ou « j'aurais *voulu* ». Il est à éviter de centrer l'action de son JE sur ce qu'*un autre JE* aurait dû faire : « *Il* aurait dû... »

Finalement, la difficulté inhérente au troisième niveau consiste *à ne pas donner suite* à « ce que je vais faire... », soit par peur des conséquences qui pourraient en découler dans l'entourage, soit par manque de conviction, soit par manque de moyens, ou pour les trois motifs à la fois. Ces aspects seront revus en détail ultérieurement, compte tenu de leur importance.

Abordons maintenant le quatrième type de choix. Il se présente quand un individu est appelé à prendre une décision par rapport aux choses désagréables qui lui arrivent de façon précipitée. Ce genre de choix se révèle assez facile, car il n'y a alors qu'une seule question à se poser, une question clé, qui conduit à toutes les réponses :

Qu'est-ce que je peux faire pour moi maintenant ?

Des exemples de cette situation :

« La toilette déborde ; qu'est-ce que je peux faire pour moi maintenant ? Est-ce que je vais appeler mon frère ? »

« Mon pneu est crevé ; est-ce que je vais téléphoner à mon mari ? »

« Le grille-pain est encore brisé. Est-ce que je vais m'en plaindre quand mon conjoint arrivera ? »

« Le steak est trop cuit ; est-ce que je vais murmurer des injures à mon assiette ? »

La personne autonome se demandera plutôt : *Qu'est-ce que je peux faire pour moi maintenant ?* Dans le cas de la crevaison et de la toilette, l'individu autonome rétorquera :

« Je vais m'en occuper, je changerai le pneu dégonflé, ou je téléphonerai pour obtenir de l'aide, ou je trouverai un garagiste, ou *je... Je* vais faire quelque chose pour moi. »

S'il s'agit d'un appareil électrique hors d'usage même après avoir été envoyé aux réparations, la personne autonome se dira :

« *Je* vais demander une explication au réparateur, je lui signalerai que l'appareil ne fonctionne toujours pas. »

Le JE ne passe pas par une tierce personne en lui faisant sentir qu'elle est responsable du bonheur de l'autre. Enfin, dans le cas du steak, l'individu autonome décidera :

« Je vais le retourner et en commander un autre ; j'en

veux un autre, à mon goût, je ne veux pas de celui-ci. »

Cet exercice qui, au premier coup d'oeil, paraît banal et fort simple, s'avère difficile pour bien des gens. La raison en est qu'ils ont de la difficulté à distinguer leur JE de celui des autres, surtout dans leur réseau familial. Automatiquement, les gens qui rencontrent une frustration de cet ordre associent la solution à un autre plutôt qu'à elles-mêmes :

« Le moustiquaire est percé. Mon mari va s'en occuper. »

« La toilette déborde. J'appelle mon beau-frère. »

« Il faut téléphoner pour des renseignements au sujet de la police d'assurance. Je vais dire à ma femme de s'en charger. »

« Je ne trouve pas de gardienne. J'appelle maman. »

« Il faut laver les fenêtres de la cave. Mon mari va s'en occuper. »

« Il faut refuser l'invitation. Ma femme va téléphoner. »

« J'ai mal, j'ai soif. Maman, maman... »

Ces situations illustrent un niveau d'autonomie peu développé et même très primaire, car alors :

Frustration = Les autres

L'incapacité d'agir d'une façon autonome dans les situations de peu de conséquences laissent supposer de l'incapacité à composer avec les événements de grande envergure.

« Je vais perdre mon emploi dans un mois ! »

« Je vais subir une baisse de salaire. »

La personne autonome relève le défi *Qu'est-ce que je peux faire pour moi maintenant ?* au lieu de demander aux autres leur aide ou ce qu'elle doit faire.

Pour éviter les subtils pièges de nos automatismes à nous reposer sur les autres, l'idée d'imaginer le JE comme étant seul au monde permet un bon point de départ. Pour ce faire, la question *Qu'est-ce que je ferais si j'étais seul avec personne pour m'aider ?*, lorsque nous sommes confrontés avec un événement désagréable, jette de la lumière sur ce qui est son propre JE et ce qui est celui des autres. D'où :

Frustration = JE

Il est à remarquer que la personne pourrait *choisir* de demander de l'aide à quelqu'un de plus compétent ou de plus renseigné qu'elle ; ce qui importe, c'est que ce choix soit conscient et pondéré, plutôt que d'être un automatisme, reliquat de l'état de dépendance caractéristique de la jeune enfance.

AUTONOMIE OU ÉGOCENTRISME ?

« Tu ne penses qu'à toi avec tes *je veux* et tes *je ne veux pas.* »

« C'est ça, je ne compte plus ! »

« Tu es pas mal indépendant. »

Au premier coup d'œil, l'individu à qui s'adressent ces paroles pourrait être qualifié d'égocentrique. En utilisant les « je veux » et les « je ne veux pas », la personne donne l'impression de ne penser qu'à elle, d'être centrée sur son nombril. En effet, le JE est centré sur soi-même : c'est de cette manière qu'il est à l'écoute de soi ; il a un nombril comme facteur principal de développement de son autonomie. Cependant, comme nous le verrons plus tard, le JE est aussi à l'écoute de son milieu. Il pourrait être représenté comme suit :

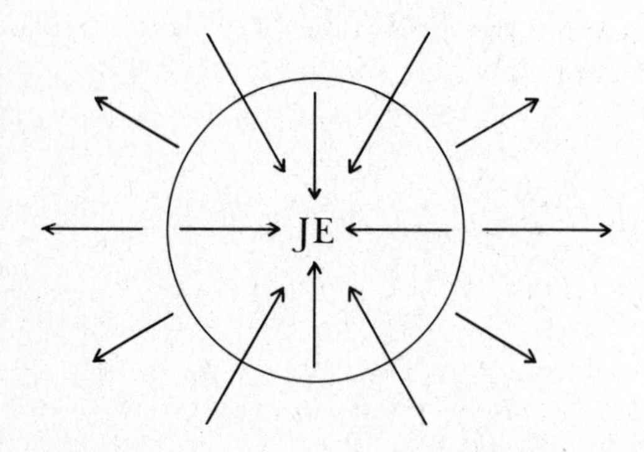

À l'opposé, la personne non autonome n'a pas de nombril ; elle n'est centrée que sur les attentes des autres, provenant de *l'extérieur* d'elle-même. Quant à l'égocentrique, il n'est qu'un immense nombril qu'il *impose* aux autres.

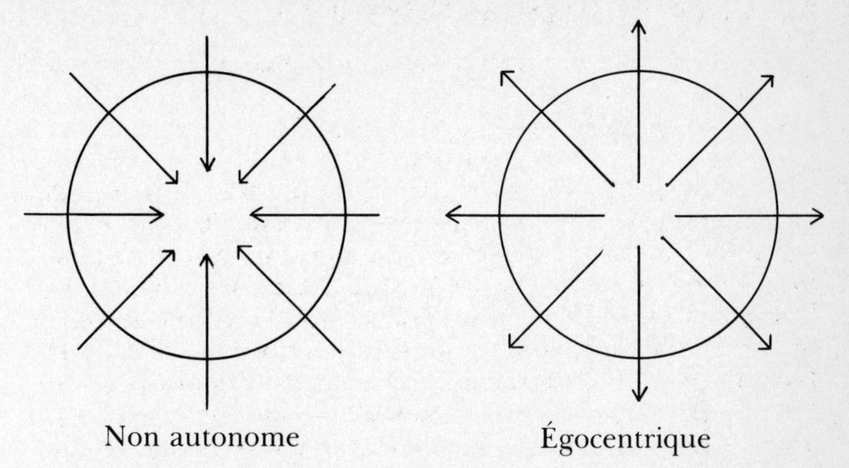

Qu'est-ce qui distingue donc le JE autonome de la personne non autonome et de l'égocentrique ?

Le JE assume toujours les conséquences de ses actes et les responsabilités inhérentes à ses décisions.

Le JE assume les conséquences agréables et désagréables de ses décisions. Une conséquence agréable sert à revitaliser le JE ; elle est une charge positive pour sa « batterie », très utile lors des journées de peu de satisfaction.

Une fois que le JE a décidé d'effectuer quelque chose, il en recueille tous les bénéfices et les à-côtés qui l'accompagnent ; il se les approprie. Ainsi, dans l'exemple de tantôt, si la personne reste à la maison au lieu de sortir avec son amie, il se peut qu'elle soit complimentée sur sa cuisine ; elle accepte ces compliments, elle ne les repousse pas. Si elle sort, elle ne pensera pas à ce qu'elle aurait dû faire à la maison, détruisant ainsi les aspects agréables de la soirée.

Par contre, le JE autonome fait aussi face aux conséquences désagréables. Si, par exemple, monsieur X décide d'autoriser la commande d'isolant en l'absence du contremaître, il court le risque d'être jugé comme ayant pris trop d'initiative. De même, celui qui décide de donner une soirée bruyante dans sa cour pourrait être sujet aux jugements de ses voisins. Ou celui qui décide d'aller sur l'autoroute sans avoir fait le plein pourrait avoir une panne d'essence. Ou la personne qui range les bas propres à l'envers pourrait susciter les critiques et les plaintes de sa famille.

Les conséquences désagréables d'un acte sont assumées par le JE ; il ne cherche pas à mettre le blâme sur un autre comme c'est le cas ici :

« Le contremaître est fou ! Il se prend pour le nombril du monde ! »

« Les voisins sont étroits d'esprit ! »

« Maudites petites autos ; les réservoirs sont trop petits ! »

La nature désagréable d'une conséquence permet au JE de juger si oui ou non il continue ses mêmes comportements ou s'il réajuste ses décisions. Sans retour ou feed-back, le JE est privé de pouvoir d'adaptation. Nous verrons cet aspect en détail lors de la partie concernant l'échec.

Assumer et accepter les conséquences agréables ou désagréables d'un acte libère le JE et permet une implication totale. C'est cet aspect de son autonomie qui lui permet de vivre intensément sa vie et de connaître des moments très riches et variés.

Le Je autonome assume aussi ses responsabilités. Quand il s'est engagé dans quelque chose, il remplit son contrat. Par exemple, un parent ne laisse pas son enfant pleurer de faim la nuit, parce qu'il a décidé d'une façon autonome de rester au lit.

Cependant, les responsabilités inhérentes à une tâche pourront être déléguées. Ainsi, une personne a promis un canevas de projet pour son patron. Elle constate en chemin qu'elle ne pourra pas terminer à temps ; elle délègue donc la recherche à une personne et la rédaction à une autre. Une autre personne suit des cours. Elle ne peut préparer le souper ces jours-là ; elle sollicite donc l'aide de sa fille, qui arrivera à la maison avant elle. Ou encore, un individu aimerait jouer au golf cet été, mais l'entretien de son parterre lui réclame du temps. Son JE responsable négocie un contrat de travail avec son fils de dix-huit ans, pour tondre le gazon durant tout l'été.

Il devient donc évident que l'égocentrisme et l'autonomie, tout en se ressemblant, diffèrent énormément. L'égocentrique ne laisse pas de place, dans son répertoire de comportements, ni pour les conséquences, ni pour les responsabilités.

L'établissement d'un but

Tout ce qui a été dit jusqu'à présent concerne la manière dont le JE est formé. On sait maintenant que cela se réalise en donnant de l'importance à ce que le JE veut, par opposition à ce qu'il « doit » être ou à ce qu'il « faut » qu'il soit. On a aussi vu que le JE se définit également par les décisions qu'il prend à mesure qu'il croît en autonomie ; il se caractérise en effet par la qualité des décisions qu'il formule. Les propos qui suivent vont maintenant traiter de l'établissement d'un but.

Établir un but et prendre une décision revient au même ; faire l'un, c'est faire l'autre. Réduits à l'essentiel, prendre une décision et établir un but ne sont nulle autre chose que :

Je fais quelque chose.

Nous allons étudier chacun des éléments que cette phrase comporte, afin de mieux comprendre comment établir un but.

Le JE impliqué dans *Je fais quelque chose* est évidemment un JE autonome, dont les décisions proviennent de ses besoins personnels. D'où l'importance et même la nécessité de croire en sa décision.

LA CONVICTION PERSONNELLE

Si une personne se donne la peine de puiser dans son propre réservoir de goûts et de besoins, elle trouvera ce qui est le plus important pour elle dans le moment présent.

Le besoin le plus important exerce alors une priorité sur les autres besoins. Ainsi, le désir de jaser avec un ami jusqu'aux petites heures du matin peut devenir prioritaire par rapport au fait de devoir dormir, par exemple, et revêtir assez d'importance pour garder la personne éveillée.

La conviction personnelle, en plus d'exercer une priorité sur d'autres besoins, est définie. Le « j'aimerais » ou le « je veux » ne sont jamais pollués par un « je pense que j'aimerais... » ou « je veux peut-être... ». Accompagné de ces parasites, le besoin traduit l'ambivalence ou détermine un ensemble de conditions nécessaires à la réalisation du désir. Le besoin n'est pas vu comme inhérent au JE, mais plutôt en fonction de son impact dans le milieu. L'anticipation seule de l'impact du besoin, sans tenir compte de la conviction personnelle, réduit son pouvoir.

Une fois défini, le besoin devient une conviction quand la personne croit que ses besoins sont importants. Beaucoup de gens ont tendance à mesurer leurs besoins à travers le contexte qui les entoure et, donc, à ne pas les croire si le contexte a une dimension « petit ».

Quelques exemples :

« Nous avons commencé à nous quereller à cause de ce saumon dans le congélateur. C'est banal, eh ! Je devrais apprendre à ne pas faire un drame pour si peu. »

« J'étais si choqué ! C'est vrai que c'était juste un casque de hockey, mais cela m'a fâché quand il l'a cassé ! »

Le problème dans le premier cas, ce n'est pas le saumon mais plutôt : « Il y a quelque chose que je n'aime pas et je veux te le dire. » De même, le besoin de transmettre sa colère concernant le casque cassé est un besoin, peu importe qu'il s'agisse d'un casque de hockey ou d'une fuite de centrale nucléaire. Le « je veux » ou le « je ne veux pas » n'est ni petit, ni gros : *il est ou il n'est pas.* Il n'y a pas à le qualifier. Trop de personnes refusent de tenir compte de leurs besoins sous prétexte qu'ils ne sont pas « assez importants ».

La caractéristique la plus évidente d'un besoin personnel est qu'il revient tout le temps. On peut bien le pousser dans le tiroir du fond, le raisonner pour le faire taire, essayer de l'oublier, le refouler, lui donner des substituts, il finira toujours par rebondir dans la conscience de la personne. Ceci est un indice précieux auquel la personne doit faire confiance, qu'elle doit prendre en considération.

L'autonomie du JE débute donc avec ses besoins *personnels*. Si, au contraire, les agissements de la personne sont basés sur les attentes des autres, elle pourra probablement actualiser sa décision, mais il s'agira alors d'un échec personnel. Car l'individu aura véhiculé les besoins des autres et non les siens, ce qui mène inévitablement à l'insatisfaction partielle ou totale.

Il existe toutefois une différence entre répondre aux attentes des autres et travailler en fonction des autres, comme le font les infirmiers/es, les puériculteurs/trices, les parents de jeunes enfants, les serveurs/ses de restaurant, les hôtesses de l'air, etc. Toutes les personnes exerçant une profession en rapport avec les humains travaillent en fonction des besoins des autres, mais ont choisi volontairement ces occupations.

Par contre, quand une personne répond uniquement en fonction des autres en dehors de son cadre de travail, il se forme une situation où le JE ne peut croître et devient non fonctionnel. Une personne qui décide d'accompagner son conjoint à une réunion familiale ou à une soirée, alors qu'elle ne le veut pas vraiment, est un exemple de quelqu'un qui vit en fonction des autres : elle n'agit ainsi que pour répondre aux attentes de son conjoint. Dans pareil cas, il y a de fortes chances qu'un échec personnel s'ensuive, allié à une certaine insatisfaction, au sentiment de ne pas savoir ce qu'elle fait là, de ne pas faire vraiment ce qu'elle veut.

Ou encore, un individu décide de « faire semblant de rien » face à quelqu'un qui a été indélicat envers lui, parce qu'il ne veut pas passer pour grognon. En se taisant, il accepte tacitement le besoin que l'autre éprouve de le couvrir d'injures. La personne qui adopte la position de vivre en fonction des besoins des autres, selon leurs attentes, est vouée à d'innombrables échecs, parce qu'elle ne peut jamais parvenir à satisfaire les attentes de tous. Elle peut réussir à en satisfaire quelques-uns, mais décevoir tous les autres. Ou encore, les attentes changent sans qu'elle le sache. Cette ronde interminable devient un cercle vicieux par lequel le JE est ballotté à tout moment.

Le JE qui fait quelque chose doit être autonome, fort et convaincu pour passer outre aux jugements ; un JE hésitant et faible ne peut pas repousser les jugements, ni supporter les critiques qui le jettent dans le doute.

Ce JE ressemble à un terrain d'apparence assez solide, mais qui s'ouvrirait en une grande faille aux premières manifestations d'un tremblement de terre. On peut donc connaître la force de son JE à partir de la fermeté de sa propre conviction et de sa réaction personnelle à la critique et aux jugements.

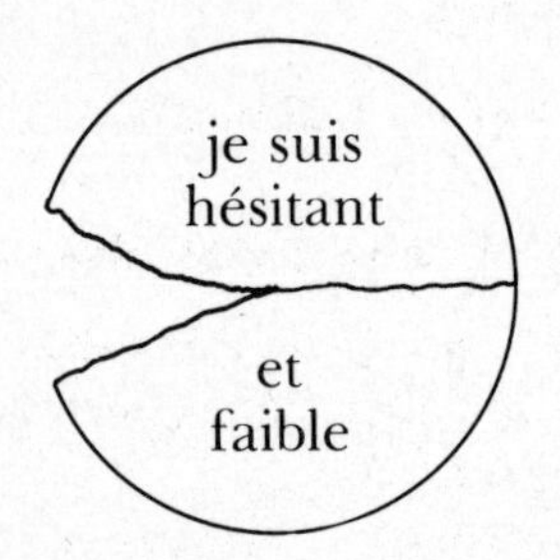

La conviction qui caractérise le JE fort est très particulière... On entend parfois des gens dire : « Tu es bien courageux d'avoir fait ceci ou cela... Je ne sais pas comment tu as fait ! » Il ne faut pourtant pas confondre courage et conviction. La personne courageuse est poussée au-delà de sa peur. Ainsi, quelqu'un se trouvant à l'extérieur d'une maison en flammes et qui entend des gens hurler, des enfants crier, vit une situation intolérable où il décide de passer à l'action : il court à l'intérieur, dans l'espoir de sauver ceux qui s'y trouvent. Il en est de même du soldat qui, en plein combat, voit apparaître l'ennemi représentant une menace très grave que le militaire doit combattre, même au prix de sa vie. Ces deux personnes veulent à tout prix changer un état de choses qu'elles ne peuvent supporter une minute de plus. Ces situations intolérables présentent toutefois toujours peu de chances de réussite pour ceux qui s'y engagent, à cause du danger qui leur est inhérent. Cependant, l'individu concerné ne mesure pas le danger mais fonce plutôt, car l'appel lancé à son organisme de mettre fin à la situation insupportable est tellement fort que la personne réagit pour baisser l'horrible tension qu'elle vit. Elle pose alors un acte courageux, mais elle n'est pas nécessairement toujours convaincue.

La conviction recouvre, quant à elle, une autre signification : il s'agit d'une croyance en quelque chose qu'on tend à accomplir ou à réaliser. La conviction fait *tout* jouer en sa faveur et, contrairement au courage, elle offre plus de possibilités de réussite ; la personne convaincue croit en sa capacité de réaliser ce qu'elle veut faire.

Pour résumer, le JE doit être convaincu, fort, étroitement lié à son noyau personnel, à ses besoins ; d'où surgit le moteur nécessaire à la réalisation de ce qu'il veut.

FAIRE, C'EST CHOISIR

Passons maintenant au deuxième volet de la phrase :

Je fais quelque chose.

Il s'agit du verbe *faire.* Quand on veut faire quelque chose, il est question de choisir entre deux possibilités car, pour faire quelque chose, on doit effectuer un choix parmi les éléments qui se trouvent devant soi. Le processus par lequel on arrive à mettre fin à une ambivalence et à faire un choix a été décrit précédemment : ce cheminement passe par l'écoute de soi ou, faute de cela, par la grille d'analyse *(Qu'est-ce qui s'est passé ? Qu'est-ce que j'aurais aimé qu'il se passe ? Qu'est-ce que je peux faire pour que ce que j'aimerais m'arrive ?),* ou par d'autres moyens, en utilisant par exemple deux chaises ou deux listes.

Il est absolument impossible de *faire quelque chose* sans avoir opté préalablement pour un choix, parce que la présence d'un conflit à l'intérieur d'une personne paralyse ; les phrases « je veux » et « je ne veux pas » ne peuvent coexister harmonieusement. Quand quelqu'un a un pied dans chacun de ces deux camps, il est non fonctionnel, il ne peut plus agir.

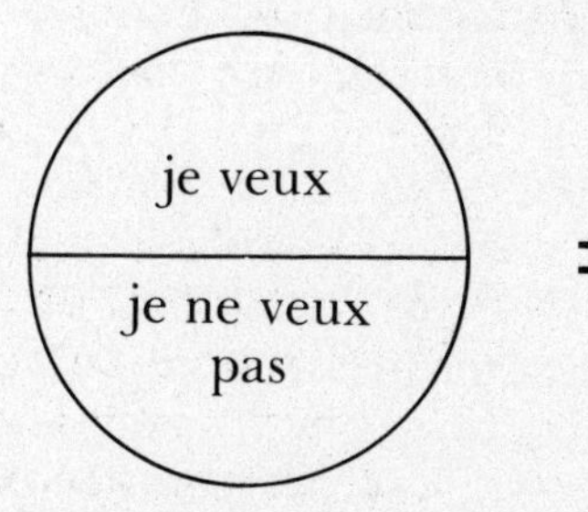

= 0 comme résultat ou satisfaction

Si le choix n'est pas accompli, l'individu fait mieux de ne rien commencer ; il est voué à l'insatisfaction quant au résultat de ce qu'il entreprend, son implication étant de 50 p. 100 au maximum.

Mais il y a aussi des gens qui refusent de se décider, parce qu'ils ne savent pas de quelle manière ils vont procéder ; ils brouillent alors leur processus de prise de décision avec tous leurs « Comment vais-je faire ceci ou cela ? ».

Ce qui est incompris par beaucoup de gens, c'est que, avant tout, la prise de décision doit s'effectuer. La personne établit en premier lieu ce qu'elle veut faire ; les moyens par lesquels elle va le réaliser se révéleront ou seront recherchés par la suite.

Par exemple, une personne décide qu'elle va préparer un dessert. Si elle est déjà en train de décider de quelle manière elle fera un gâteau ou une tarte, elle n'arrivera pas à se décider.

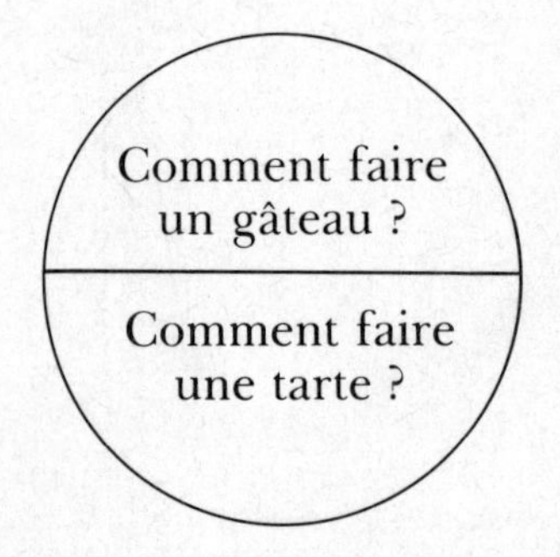

Elle doit décider en premier lieu si elle choisit de faire un gâteau ou une tarte. Une fois la décision prise, elle pourra passer aux « comment ».

Dans le cas d'une décision plus complexe, telle que retourner aux études, l'individu décide, de la même façon, s'il veut y aller ou non ; il passe ensuite aux manières d'actualiser son but. Tout ceci forme une série d'étapes, c'est-à-dire un processus par lequel la personne se munit de moyens pour atteindre son objectif.

Une autre erreur d'approche, très fréquente dans la prise de décision, consiste à s'immobiliser avec d'innombrables « si » :

« Si j'avais de l'argent, je... »
« Si tu viens, je... »
« Si tu es sage, je... »
« Si les autres veulent, je... »

Ces individus préoccupés par les « si » ne parviennent jamais à se décider ; ils tournent autour de toutes sortes d'éléments non pertinents au processus de prise de décision.

Il existe aussi des gens qui empêchent leur JE de prendre une décision, faute d'avoir des garanties infaillibles de réussite. Ce sont souvent ces mêmes personnes qu'on entend répéter « J'ai manqué le bateau », à mesure qu'elles vieillissent, ou qui se plaignent qu'il ne leur arrive jamais rien d'extraordinaire...

Voici maintenant quelques mots de réconfort pour les lecteurs qui n'osent jamais se départir de leurs besoins de garanties ou de leurs préoccupations relatives aux « si ».

D'abord, prendre une décision équivaut à prendre un risque. Cependant, le risque, une fois pris, renseigne la personne ; il est plus facile d'aborder *un* élément qui empêche la réalisation d'un but que de s'inquiéter auparavant d'innombrables « peut-être ».

Deuxièmement, une décision prise pourra toujours être supplantée par une décision ultérieure, compte tenu de nouvelles informations relatives au sujet concerné. Par exemple : « Je vais préparer un rôti de bœuf. » En voyant le prix très élevé du bœuf, *je décide* de servir une viande moins coûteuse. Ou encore : « Je vais retourner aux études. » En apprenant que je ne serai éligible pour les prêts et bourses que l'an prochain, *je décide* de travailler cette année au lieu d'étudier.

Ces nouvelles prises de décision ne constituent pas un « changement d'idée ». Quand un choix s'avère inadéquat à la lumière de nouveaux renseignements, le JE autonome formule une autre décision, plus conforme à ses besoins et à la réalité que reflète son milieu. C'est cette capacité de réagir encore, en prenant une autre décision, qui donne au JE autonome autant de souplesse ; il se trouve rarement pris dans une impasse ou imbriqué dans des efforts futiles. Ceux qui sont reconnus pour « changer souvent d'idée » sont ceux qui vivent beaucoup d'échec et d'insatisfaction. Nous verrons, dans la partie consacrée à l'échec, les autres raisons qui les font agir ainsi.

Un autre phénomène fort intéressant mérite d'être souligné ici. Quand un choix est fait et un but établi, ce dernier devient programmé dans la conscience de l'individu. Si, en chemin, certaines choses résistent à l'actualisation, parce que les moyens ne sont pas disponibles ou connus, le fait d'avoir consciemment établi un but demeure programmé dans la tête de la personne. Celle-ci développe alors (sans autre effort supplémentaire) des antennes sensibles à son objectif, par rapport à son milieu, aux situations ou personnes susceptibles de l'aider à réaliser son projet. Une fois son but programmé, la personne s'accroche à tout moyen relatif à la réalisation de son projet, dès qu'il croise sa conscience. Plus le but est clairement établi et le choix net, plus ce phénomène d'antennes sensibles devient efficace. Il est même presque impossible d'être conscient des possibilités qui aideront notre but. Un exemple : je décide en janvier que je vais faire repeindre mon automobile, mais mes moyens financiers sont maigres. Pourtant, je maintiens ma décision de repeindre mon automobile. Lors d'une rencontre amicale en mars, j'entends parler d'un garage qui effectue ce travail à bon marché. Mes antennes, sensibles à mon but, captent cette information et je décide de faire repeindre ma voiture à ce garage.

QUOI FAIRE ?

Nous allons maintenant nous pencher sur le troisième élément de la phrase *Je fais quelque chose ;* il s'agit du *quelque chose.* Celui-ci peut être de deux natures : concret ou matériel, abstrait ou affectif. Dans le domaine matériel, on peut par exemple dire :

« Je vais repeindre la maison. »
« Je vais obtenir un diplôme. »
« Je vais ouvrir une boutique. »

Dans le domaine affectif, on peut par exemple décider :

« Je ne veux pas être exploité/e. »
« Je veux obtenir plus de satisfaction dans ma vie. »
« Je veux me sentir bien dans ma peau. »

Malheureusement, ces phrases se prêtent difficilement à la réalisation ; elles englobent trop d'étapes. Prenons un des exemples cités dans le domaine matériel : le projet — repeindre la maison — ne pourrait être achevé qu'en achetant la peinture, en préparant les surfaces, en s'assurant que l'échelle soit assez grande pour atteindre les hauteurs, etc. Chacune de ces démarches constitue une petite unité de travail, relative au but global, mais sans lesquelles le but ne pourrait se concrétiser. Il en va de même pour ouvrir une boutique ; elle ne s'ouvre pas du jour au lendemain. Il y a d'autres « petites démarches » à accomplir avant d'y arriver : louer un local, acheter la marchandise, etc.

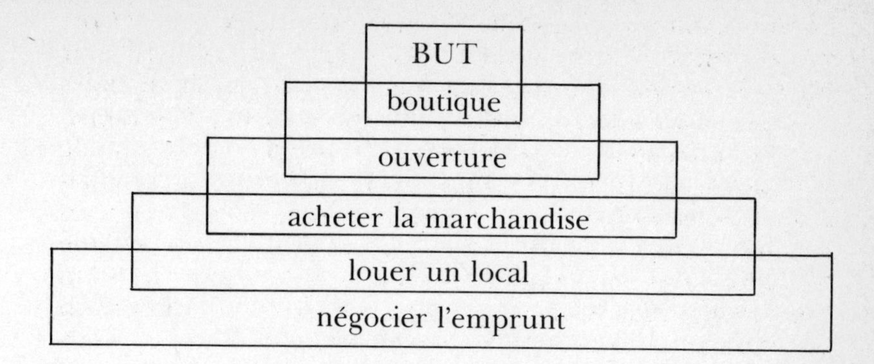

La démarche pour le *quelque chose* abstrait ou affectif est semblable. Ainsi, on ne peut atteindre d'un seul coup le concept d'être bien dans sa peau ; celui-ci doit d'abord passer par de plus petites unités. Prenons un des exemples cités précédemment :

« Je me sens exploité/e. Je ne veux plus l'être ! »

Un effort doit être fait afin de rendre le sentiment d'exploitation plus spécifique, car il est trop vaste. En répondant aux questions *Avec qui ?*, *Où ?* et *Quand ?*, souvent le noyau du problème se révèle :

« C'est avec mes grands enfants ; je me sens exploité/e quand ils sont tous à la maison à la fois. Le désordre ! Le va-et-vient ! »

Le parent concerné peut alors se demander, afin de préciser davantage :

« Est-ce qu'il y en a un avec qui j'ai plus de difficultés ? »

Il devient évident que c'est surtout avec X ; il laisse traîner ses vêtements partout, monopolise la salle de bains, etc. Mais comment parler à X pour que cela fonctionne mieux ?

Le but devient ici : établir une relation meilleure, plus efficace, avec X. C'est en accomplissant cette petite unité de travail, et d'autres semblables, que l'individu parviendra à atteindre son but global : « Je ne veux plus être exploité/e. »

Voici un autre exemple relatif au sentiment d'être exploité/e. Après s'être demandé *Avec qui*, *Où* et *Quand*, la personne peut en arriver, par exemple, à :

« C'est toujours moi qui fais les valises quand on part en voyage. »

Par conséquent, l'unité de travail, pour en arriver au but de ne pas être exploité/e, serait d'agir au moment du départ et de déterminer qui s'occupera désormais des bagages.

« Je n'aime pas faire les valises quand on part. Je vais dire à chacun de s'occuper de sa propre valise avant le prochain voyage. Comme ça, je ne sentirai plus qu'ils m'exploitent. »

Dès qu'une décision est clairement formulée, arrive alors le moment de trouver les moyens pour l'exécuter, c'est-à-dire, le « comment faire ». Comme nous l'avons vu auparavant, les moyens sont recherchés *après* l'établissement d'un but.

Beaucoup de gens restent dans l'impasse à ce stade, parce qu'ils pensent :

« Je ne sais pas où aller... »

« Je ne sais pas à qui m'adresser ! »

« Je ne sais pas comment faire ! »

Si quelqu'un voulant repeindre sa maison ignore à qui il doit s'adresser, il peut commencer par questionner les premiers venus :

« Sais-tu qui peut me renseigner sur la manière de repeindre une maison ? »

Ces gens lui fourniront probablement une réponse du genre :

« Entre en contact avec un tel ou un tel. »

Sinon, ils donneront à cette personne suffisamment d'indices pour le conduire vers une autre personne, qui elle-même pourra le mener à quelqu'un d'autre... Il est parfois nécessaire de suivre plusieurs pistes avant de démarrer, mais il va repeindre sa maison s'il persiste dans sa quête des moyens.

Dans le cas d'un autre genre de situation, quelqu'un peut songer :

« Je veux retourner aux études. À qui vais-je m'adresser ? J'ignore à qui demander des renseignements... Je ne sais pas quoi faire ni comment ! »

Il rencontre par hasard une ex-étudiante chez son voisin, cette ex-étudiante la conduit vers quelqu'un d'autre qui, à son tour, l'achemine vers le directeur des étudiants. Il est donc en voie d'actualiser son but.

Si Jacques s'égare dans une grande ville, il doit demander les renseignements qu'il lui faut, sinon il restera perdu. Si le premier inconnu à qui il s'adresse ne peut l'orienter quant à la direction à suivre, il peut cependant le guider vers quelqu'un d'autre, en disant, par exemple :

« Va demander au policier que je vois au coin de la rue. »

Donc, si quelqu'un *n'interroge pas son milieu,* il ne parviendra pas à obtenir l'information nécessaire. Le JE, quand il veut quelque chose, recherche activement ce dont il a besoin.

Le JE autonome est caractérisé par sa manière d'utiliser la frustration à son avantage, quand il établit les moyens pour actualiser son but. Si un ou un ensemble de moyens ne fonctionne pas, il en cherche d'autres. La frustration qu'il ressent n'est pas interprétée comme synonyme d'incapacité, mais plutôt comme un moteur le poussant à continuer.

En résumé, le *quelque chose* dans une décision implique ce sur quoi l'action portera, décomposé en petites unités de travail, suivi d'une active interrogation du milieu dans la recherche des moyens et alimenté par le moteur de sa frustration.

L'échec

LE COURT-CIRCUIT

Maintenant que nous avons appris à prendre des décisions autonomes et à établir des buts, qu'est-ce qui fait qu'on échoue ? Qu'est-ce qu'un échec ? La plupart d'entre nous le reconnaissons par les sentiments qui l'accompagnent. On éprouve en premier de la déception, puis possiblement de la peur, de la dépression, du désespoir, de la frustration, d'une intensité plus ou moins forte. L'échec goûte amer, il dérange même. Il se traduit dans tout notre corps, se reflète dans notre posture : les épaules arrondies, la tête basse, l'absence d'éclat dans les yeux... De plus, les sentiments ressentis par un individu lorsqu'il vit un échec l'empêchent souvent de progresser ; ils brouillent ses propres efforts. Il a peur de réessayer.

Toutefois, la plupart d'entre nous ignorons ce qu'est l'échec ; nous avons appris à passer par-dessus, à ne pas questionner :

« Ne t'en fais pas, continue... »
« Ce n'est rien. »
« Sois brave, ça va s'arranger. »
Ou pire encore :
« Le temps va arranger les choses. »

Nous allons tâcher d'apprendre maintenant à faire face à l'échec. Nous n'apprendrons cependant pas à être braves : la bravoure ne constitue pas nécessairement une facette du JE autonome.

Nous avons vu que l'unité de base d'un JE autonome est :

Je fais quelque chose.

Or, la clé d'un échec se situe précisément à l'intérieur de cette unité de travail car, quand on pose un geste, on peut réussir ou échouer ; l'échec ne représente qu'un aspect d'une décision prise au sujet d'une action à entreprendre.

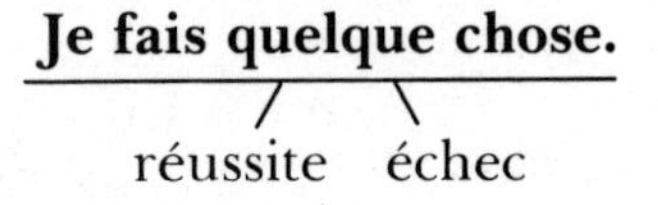

Pour définir un échec, ainsi que pour apprendre à en réussir un, nous nous pencherons à nouveau sur cette unité de travail.

Il devient tout de suite évident qu'un échec n'est qu'un court-circuit dans les composantes du *Je fais quelque chose.*

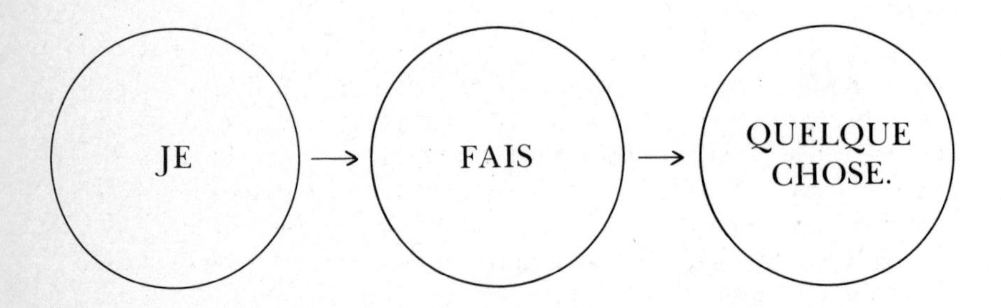

Un court-circuit signifie qu'un problème est survenu, qu'il y a des contre-courants qui se rencontrent. Le premier élément à observer (quand on veut savoir d'où vient le court-circuit) est alors le JE, sur lequel se fondent tous les actes autonomes, toutes les décisions. Le JE a-t-il été fort, convaincu ? Est-ce qu'il reflétait vraiment un besoin *personnel ?* Était-il capable de dire « je veux » ou était-il teinté de « il faut... » ou de « je dois... » ? Est-ce que l'importance du besoin est assumée ? Les besoins d'un JE autonome sont forts ; ils se goûtent dans la bouche, se voient dans les yeux. Ils revêtent alors tellement d'importance qu'ils ne présentent aucune équivoque ; il ne s'agit pas de « peut-être » ou de « je pense ». Les véritables besoins sont complets. La première exploration consiste donc à s'assurer que le JE a vraiment été représentatif du besoin personnel.

Le deuxième aspect à analyser, quand on veut examiner un échec, est le verbe *faire* de la phrase *Je fais quelque chose.* On est ici confronté au phénomène consistant à établir un choix entre deux pôles ou deux positions. La personne regarde alors si son choix a réellement été fait. Est-ce qu'elle avait vraiment les deux pieds dans le même camp lorsqu'elle a entrepris son action ? Est-ce que le travail sur les deux pôles (deux chaises) a été bien fait ? L'individu est-il passé trop vite d'un pôle (chaise) à un autre ? Est-ce que tous les « mais » ont été vécus, verbalisés ? Il peut y avoir beaucoup de « mais oui, mais... » qui n'ont jamais été verbalisés et qui reviennent maintenant hanter la personne, la jeter dans le doute, la faire hésiter, créer une faille dans son sol... Quand on découvre le court-circuit à ce niveau-ci, l'échec est toujours dû à l'ambivalence : « Je veux, mais je ne veux pas. » Il vaut mieux ne pas agir que d'agir divisé/e par l'ambivalence. L'analyse permettra donc de constater si un choix a véritablement été assumé.

On peut aussi chercher le court-circuit dans le *quelque chose* que la personne a effectué : est-ce que le geste posé était vraiment composé de petites unités de travail adéquatement découpées ? Dans le domaine concret, par exemple, du « Je veux ouvrir une boutique », l'individu a-t-il loué le local avant de faire les démarches pour posséder le capital requis ?

Ou encore, dans le cas du « Je veux obtenir un diplôme », la personne s'est-elle adressée à une maison d'enseignement avant de posséder les prérequis ?

L'analyse du geste posé porte aussi sur le milieu ; l'action a-t-elle été assidue ? La frustration engendrée par une première fausse piste a-t-elle été utilisée comme moteur afin de pousser plus loin, ou a-t-elle été gaspillée pour entretenir le feu d'une pauvre estime de soi : « J'ai essayé, mais je ne peux pas. »

Poursuivons maintenant l'analyse d'un échec dans le domaine affectif :

« Je veux me sentir valorisé/e. »
« Je veux me sentir bien dans ma peau. »

Ces formulations s'avèrent trop vastes et irréalisables. La personne doit passer à l'étape suivante, qui consiste à restreindre suffisamment ou à préciser l'unité de travail pour qu'elle soit réalisable. Ce qui peut donner :

« Je vais dire à fiston que je ne veux plus qu'il laisse traîner ses vêtements partout. »
« Je vais m'offrir quelque chose dont je me suis toujours privée. »

Toutefois, il est plus facile pour le profane d'analyser un échec dans le domaine concret que dans le domaine affectif. Contrairement aux bornes floues et intangibles des sentiments, un but concret révèle un chemin tracé d'avance par la nature du but. Ainsi, obtenir un diplôme se réalise en poursuivant la route dictée par l'institution fréquentée. Produire un bilan financier consiste à jongler avec des chiffres en rapport avec des catégories ; coudre une robe s'obtient en suivant un patron ; faire un jardin se réalise en suivant des instructions. Le domaine abstrait des sentiments exige, quant à lui, un esprit d'analyse capable de reconnaître les sentiments impliqués dans les différentes formes concrètes d'action, autant lors de l'affirmation du JE que lors de sa défense. Ces techniques seront élaborées dans le chapitre : *Le JE en relation avec les autres.*

Éviter l'échec, tant au niveau concret qu'abstrait, relève aussi du contexte : le choix du moment pour aborder un problème, le temps disponible et le lieu de discussion sont des facteurs importants. Ainsi, si un parent décide d'améliorer sa relation avec son fils aîné, il ne procédera pas en pleine nuit, alors que celui-ci est endormi, ni lorsque la maison est bondée de visiteurs ! Bref, on n'entame pas un changement important dans n'importe quelles circonstances.

Donc, lors de l'analyse d'un échec, le facteur temps est à considérer afin de déceler où la mécanique a fait défaut. Si on fait cuire un gâteau trop lentement ou trop rapidement, le résultat est le même : un échec... Il existe un temps propice à l'accomplissement de toute activité. Par exemple, le temps requis pour bricoler une table diffère grandement du temps requis pour réaménager un service social au niveau de la province.

C'est pourquoi le moment choisi pour accomplir l'acte prévu influence sur son taux de réussite. Il est évident que la personne qui choisit une soirée dansante pour discuter de la manie qu'a son conjoint de laisser traîner les serviettes mouillées dans la chambre verra son désir de s'affirmer voué à l'échec. Il en sera de même du parent qui crie un ordre à son fils alors que celui-ci se trouve dans la pièce voisine.

Pour résumer, un échec est un court-circuit dans l'unité de travail *Je fais quelque chose ;* autour de cette unité de travail se regroupent les facteurs : choix du moment, temps disponible, lieu propice.

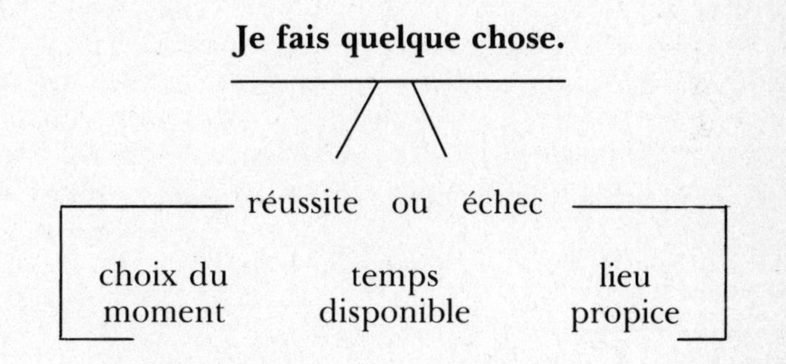

ÉCHEC OU ERREUR ?

« J'ai fait une erreur ! »

« Je n'aurais jamais dû faire ça. »

« Pourquoi ai-je fait cela ? »

D'autres encore vous offrent leurs opinions gratuites, étant toujours prêts à vous juger ou à vous pointer du doigt.

« Dingue ! »

« Stupide ! »

« Tu aurais pourtant dû le savoir ! »

« Tu ne vois pas que... »

Il devient important pour le JE autonome de distinguer un échec d'une erreur ; sinon, il sera sérieusement handicapé par ses propres récriminations ou par celles des autres.

Un échec se produit lorsqu'un individu, en dépit de toutes ses expériences passées et présentes, n'arrive pas à recueillir toute l'information nécessaire pour s'assurer d'un résultat heureux. Ceci mène donc à une non-réussite : l'échec. On peut décider, par exemple, de prendre telle route, de bâtir un plan de telle façon, de cuisiner un bœuf bourguignon selon tel procédé, d'élever ses enfants ou d'aborder un employé de telle manière, et voir un échec s'ensuivre, parce qu'il aurait fallu que ce soit fait d'une autre façon. Mais nous ne connaissions pas à l'avance l'information nécessaire pour agir de manière à obtenir une réussite.

L'organisme humain n'est pas apte à tout savoir, ni à tout contrôler à tout moment, afin de répondre à toutes les situations réelles ou imaginables ; les innombrables combinaisons possibles, dans une série d'événements, dépassent les capacités d'une personne à composer avec toutes. Vu de cette manière, l'échec est le résultat d'une programmation inapte à couvrir toutes les possibilités et n'a aucune connotation péjorative quant au JE qui a perpétré l'acte. L'échec, le court-circuit, se trouve quelque part à l'intérieur du modèle :

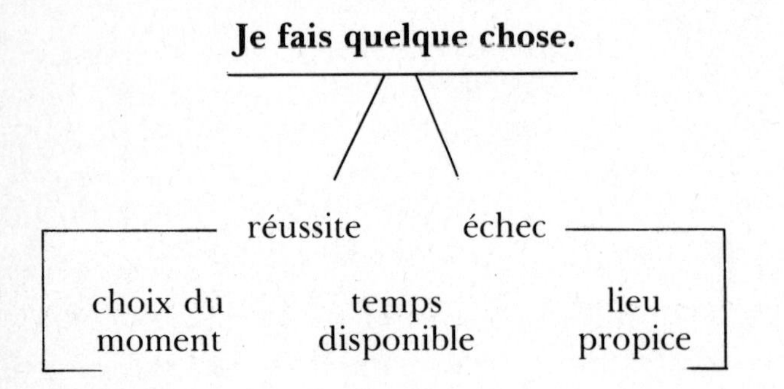

Contrairement à l'échec, une erreur suppose que la personne qui agit est fautive, qu'elle est *la cause* de l'effet non désiré.

Le mot « erreur » contient implicitement un jugement de valeur envers la personne concernée.

La personne = Erreur

Cela signifie que la personne ne possède pas les composantes nécessaires à la réussite, qu'elle ne mérite donc pas la confiance.

Alors, se qualifier soi-même ou se faire qualifier d'erroné/e est une attaque sur le JE ; c'est un diagnostic final, irréversible. Rester sur un échec empêche toute analyse, toute relance et possibilité de réussite. Alors que, loin d'être final, un échec « réussi » conduit toujours à un rendement meilleur.

Il n'est pas rare, cependant, d'entendre des réflexions comme celles-là :

« Mon conjoint m'a quitté/e : j'ai fait un échec de mon mariage. »

« J'ai manqué mon coup en tant que parent ; mon fils prend de la drogue. »

« J'ai échoué comme épouse : mon mari est homosexuel... »

Ces réalités ne constituent pourtant pas des échecs, mais des coups durs, des conséquences du choix des autres. Un échec provient, au contraire, de nos *propres décisions et de nos propres actions,* non pas de celles d'un autre. Un exemple classique de mauvaise interprétation :

Parent : « J'élève mon enfant de telle manière. Je choisis de l'élever selon mes convictions. »

Enfant : « Je choisis de prendre du LSD. »

Le parent sautera tout de suite à la conclusion :

« J'élève mon enfant...
... à prendre du LSD. »

Énormément de personnes ne discernent pas leurs propres échecs de ceux des autres ; cette prise de conscience relève pourtant du processus de différenciation. En effet, quand on est conscient de son JE, on sait ce qu'on a initié et ce dont on est responsable par opposition à ce qu'un autre JE a initié et pour lequel il est responsable. Assumer les conséquences ou les responsabilités découlant d'un acte posé par un autre produit deux résultats désagréables : d'une part, le JE est imbriqué dans un autre, il n'est pas lui-même, et, d'autre part, la présence d'un JE dans « les affaires » d'un autre empêche ce dernier de se développer comme une personne autonome. L'un entrave le chemin de l'autre. Ces situations sont du même ordre que celles mentionnées au premier chapitre quand le JE est appelé à répondre à des dérangements fâcheux. Le JE autonome, conscient de ce qui est à lui et de ce qui ne l'est pas, se concentre uniquement sur ce qu'il *va faire* face à la frustration engendrée en lui par l'acte de l'autre.

« Mon conjoint m'a quitté/e. Qu'est-ce que je fais pour moi maintenant ? »

« Mon steak n'est pas saignant. Qu'est-ce que je vais faire pour moi maintenant ? »

« Mon fils fume de la marijuana. Je n'aime pas ça. Qu'est-ce que je peux faire pour moi maintenant ? »

« La cave est inondée. Qu'est-ce que je fais ? »

L'énergie de la personne est alors mobilisée positivement pour se tirer activement de la situation frustrante et atteindre la satisfaction, et non plus pour alimenter un sentiment de culpabilité, ce qui engendre de l'inaction.

RÉUSSIR UN ÉCHEC

Le JE doit franchir cinq étapes lorsqu'il s'aperçoit, après avoir pris une décision, qu'il n'a pas atteint son but.

D'abord, il lui faut *laisser monter à la surface tous les sentiments suscités par cet échec,* car leur refoulement ralentit le processus d'assimilation de l'expérience, qui permettrait de passer de nouveau à l'action. Les sentiments de frustration, de colère, de rage, de déception ou de désappointement paralysent. Plus on devient habile dans l'expression de son JE intérieur, plus la période de réajustement nécessaire pour procéder à d'autres décisions se raccourcit. Autrement dit, tant qu'on reste victime du poids de ses sentiments, on cesse d'être fonctionnel et productif pour soi-même. (Les sentiments seront explicités dans la deuxième partie.)

Deuxièmement, il est important de *se donner la permission de vivre un échec.* Ce n'est pas la fin du monde, car le JE pourra toujours prendre une autre décision, basée sur de nouvelles informations apprises en cours de route. C'est justement ici que réside son immense pouvoir d'adaptation, de relance continuelle.

Troisièmement, on doit *rechercher activement où est le court-circuit,* en passant par l'analyse de chaque partie de la décision *Je fais telle chose.* Ainsi, si on s'aperçoit que le JE n'était pas convaincu ou que le besoin n'était pas assez défini, on ne repasse pas à l'action avant qu'ils ne le soient. Si on constate, par ailleurs, que le court-circuit provient de ce qu'on hésitait entre deux choix, on n'agit pas avant que le choix soit bien défini. Si, par contre, on discerne que c'est l'unité de travail qui n'était pas assez réduite, on se réajuste par rapport à ces niveaux-là.

Le quatrième volet, pour réussir un échec, consiste à *assumer ce qui est à soi :*

> « J'ai fait telle chose qui n'a pas réussi. Ce que j'ai fait là est à moi ; je ne m'en veux pas outre mesure parce que ça n'a pas fonctionné. Je suis un être humain comme n'importe quel autre. Si ma décision a suscité la colère de quelqu'un ou a dérangé l'ordre de la maison pendant quelques heures, ou si quelqu'un a dû agir à ma place pendant la période de récupération, je l'accepte. »

Si on a causé des ennuis à d'autres, on s'en excuse, tout simplement ; on n'a pas à procéder à un long dénigrement de soi-même ! L'important est de se concentrer sur son nouveau but. En disant « Je vais faire... », le JE verbalise son réajustement et se relance. Le JE autonome assume donc toujours ce qui est à lui.

L'étape finale permet, quant à elle, *d'établir un nouveau but.* Une fois qu'on a cerné son erreur de parcours, on modifie le trajet et on définit de nouveau un objectif : **Je fais quelque chose.**

Ce *Je fais quelque chose* peut être identique au précédent ou différent ; l'accent doit être mis à l'endroit où le court-circuit a été localisé.

Les empêchements à la prise de décision autonome

EXCUSES OU RAISONS ?

Enchaînons maintenant avec les facteurs qui rendent difficile une prise de décision. On a vu comment définir le JE, comment prendre une décision et comment agir de façon à ce qu'une décision qui tourne à l'échec ne paralyse pas la personne. Cependant, deux facteurs peuvent intervenir pour rendre une décision difficile à prendre.

Le premier de ces facteurs réside dans les excuses que la *personne se donne* pour ne pas prendre une décision, donc pour ne pas opter pour un choix quelconque. Il existe aussi les excuses que *le milieu renvoie...* à l'individu et qui s'insèrent dans la faille de son JE faible, qui le jettent dans le doute, la méfiance, etc.

Il importe toutefois de savoir qu'une excuse diffère d'une raison, afin de mieux se protéger des dégâts qu'une excuse peut entraîner. Voici un exemple qui concrétise la différence entre les excuses et les raisons : un individu peut être en train de décider qu'il va suivre un cours. Il se dit cependant :

« Je ne peux pas : parce que mon conjoint sera seul. »
parce que mes enfants seront seuls. »
parce qu'il faut que je prépare le souper. »

L'individu se donne souvent ce genre d'*excuses* pendant qu'il est en train de prendre sa décision.

Les *excuses* provenant du milieu pourraient ressembler à :

« Quoi ? Tu veux prendre ce cours-là ? »

« Commence-moi pas ça, voyons donc ! »

« Mais tu es bien trop vieux/vieille ! »

« C'est de la foutaise ! Arrête-moi ça... »

D'autre part, une *raison* serait :

« Ce cours-là ne se donne pas. »

« Ce cours-là se donne dans une autre province, mais pas ici. »

« Je suis présentement malade, cloué/e au lit. »

Ces constatations s'avèrent toutes des *raisons*. Mais quelle est la différence entre une raison et une excuse ?

Une excuse n'est pas irréversible ; on peut agir dessus, on peut la changer. Ainsi, si c'est l'absence de la personne qui fait problème, cette situation peut être transformée ; il est possible qu'elle soit remplacée par quelqu'un d'autre. La nécessité de sa présence constitue donc une excuse, parce qu'elle est réversible dans le temps : on peut agir dessus. Il en est de même de l'affirmation :

« Mais il faut que je fasse le souper ! »

Une autre personne peut tout aussi bien s'en occuper, ou être sollicitée pour faire le souper. Cette situation se prête à des modifications.

Il en est de même des critiques ou jugements provenant des autres :

« Tu es trop vieux/vieille ! »

Ce sont là des excuses que les autres aimeraient voir endossées par le JE. Mais le facteur âge n'a rien à voir avec le fait de vouloir réaliser un projet. Il ne faut pas non plus se laisser influencer par des affirmations ou des insinuations telles que :

« C'est de la foutaise ! »

« Tu n'es pas assez intelligent/e pour suivre ce cours. »

Le fait que la personne elle-même croit en sa capacité de réussir suffit pour qu'elle suive son besoin.

La caractéristique d'une raison, par contre, réside dans le fait qu'*elle rend l'acte impossible pour le moment.* Tel est le cas si le cours choisi ne se donne pas dans la ville où l'individu habite. Ceci constitue une véritable raison ; le cours peut se donner ailleurs, mais pas à l'endroit où se trouve la personne. Celle-ci devrait jouir de dispositions spéciales pour pouvoir suivre des études loin de chez elle ; cette possibilité est inhabituelle pour la plupart des gens. Ou encore, si quelqu'un est cloué au lit, cette maladie représente également une raison pour ne pas assister à un cours. Il sera capable d'y aller lorsqu'il sera rétabli.

Une raison suspend la réalisation d'un but.

Une excuse empêche la réalisation d'un but.

Les excuses brouillent la démarche vers la prise de décision. Cela équivaut à vouloir régler tous les « comment » avant de décider. Il suffit de noter qu'à l'intérieur de chaque excuse, se trouve un « je ne peux pas » suivi du « raisonnement ».

« Je ne peux pas faire telle chose, parce que... »

Excuse = Je ne peux pas + parce que...

Aussi longtemps que le JE est accaparé par une excuse, l'individu se trouve limité dans son champ d'action.

Il en va de même pour les dérivés des verbes falloir et devoir.

« Je ne peux pas aller étudier, il faut (je dois) que je reste avec les enfants. »

Par cette excuse, l'individu ne se permet pas de poser certains gestes ; il s'agit là d'un type de fonctionnement où l'on se dit :

« Si quelqu'un m'enlevait ce facteur-là (les enfants), si j'étais seul/e en cause, je passerais à l'action. »

Ce n'est pas le JE autonome qui s'exprime ainsi, mais le JE non autonome qui attend que *les autres se chargent de lui procurer son bonheur.* Il vit en fonction de ce que les autres peuvent accomplir pour lui. Ainsi, les excuses découlant de « falloir » et « devoir » reflètent toujours l'influence que les autres exercent sur soi.

Donc, afin de faciliter la prise de décision et d'éviter les innombrables pièges créés par les excuses avec « raisonnement » ou par les verbes falloir et devoir, qu'ils viennent de soi ou des autres, voici une question qui aidera à distinguer rapidement entre une raison qui suspendra le but et une excuse qui l'étouffera.

« **Est-ce que je peux agir là-dessus ou est-ce qu'il est impossible d'agir là-dessus ici et maintenant ?** »

Le JE ne décide qu'en fonction des raisons ; sa vie ne laisse aucune place aux excuses. Il est conscient que les excuses entravent sa croissance. L'individu autonome perçoit aussi les excuses des autres comme leur façon d'exprimer leur insécurité ou leur résistance à ce que le JE veut faire en mettant le poids sur ses épaules :

« Arrangez-vous avec mon insécurité. »

Cette phrase est implicite dans leurs critiques et leurs excuses.

LE NON SANS RETOUR

Très efficace comme frein à la prise de décision, la réponse NON venant du milieu et se caractérise par l'incapacité de l'individu de passer à l'action. Par exemple, suite au besoin de trouver un endroit où s'héberger pour la nuit, toutes les annonces affichant *Complet* sont éliminées comme possibilité ; les longues queues devant le théâtre sont interprétées comme un NON, et la personne s'en détourne ; un NON à l'inscription des cours, et la personne s'affaisse ; un refus de projet, d'un client ou du patron, et la personne se fige dans son chemin. Combien de personnes prennent pour acquis un NON, ce qui leur crée l'obligation de repartir à zéro. Délimitons les étapes d'une démarche :

a) j'ai besoin de trouver un logement pour la nuit ;
b) je conduis le long de la route ;
c) je cherche.

a + b + c = But non-réalisé

En acceptant un NON comme étant irrévocable, il est nécessaire de recommencer la même démarche à chaque fois ; pire, la formule *s'est déjà révélée inefficace.*

Le JE autonome apprend rapidement à s'extirper de ces situations NON en changeant, en ajoutant ou en éliminant un ou plusieurs éléments de sa démarche initiale. Alors :

a) j'ai besoin de me loger ce soir ;
b) je conduis ;
c) je cherche ;
d) j'arrête au premier motel ;
e) je présente ma demande pour une chambre.

a + b + c + d + e = But réalisé

Une réservation a été annulée pendant la soirée ou le propriétaire m'indique un autre motel, à l'écart de la grand-route, qui n'est pas encore complet. Le JE autonome, en impliquant d'autres personnes et en jouant avec les éléments de sa démarche, ne recommence plus à zéro, ce qui constitue une épargne d'énergie psychique ; il ne se trouve pas non plus dans un état d'inertie et figé dans son mouvement, il est toujours en progression. Sa conviction de ce qu'il veut ou ne veut pas fait en sorte que le NON devient un stimulant dans la réalisation de ses buts et non pas un coup de grâce.

LES SENTIMENTS

Passons maintenant au dernier ensemble de facteurs qui complique la prise de décision : les sentiments. Ces derniers accompagnent tous nos gestes ; ils donnent à notre comportement une certaine tonalité, une certaine couleur. Toutefois, autant certains sentiments peuvent être agréables à vivre, autant d'autres peuvent s'avérer pénibles : ce sont la frustration, le désespoir, la dévalorisation, la rage, la haine, la culpabilité, le rejet, la peur... Énormément de sentiments vécus quotidiennement nous paralysent, car nous ignorons alors comment les empêcher de jouer contre nous. La personne en train de développer son JE doit connaître ses sentiments, sinon elle risque de toujours demeurer victime de leur immense pouvoir. Il s'avère donc nécessaire de s'asseoir, de prendre conscience des sentiments que l'on vit, de les regarder en face et de comprendre ce qu'ils sont, bref de les démystifier. Il s'agit de les définir, de voir ce qu'ils engendrent et jusqu'où ils peuvent nous mener. Le plus important consiste toutefois à trouver ce qu'il faut effectuer pour les neutraliser, afin que leur impact ne devienne pas un élément paralysant de la prise de décision, néfaste à notre adaptabilité.

Pour nous pencher sur les sentiments, nous aurons à mettre entre parenthèses beaucoup de nos attitudes ou croyances, déjà intégrées, à l'égard des sentiments. L'influence de la religion nous a, par exemple, toujours dicté de ne pas haïr ni d'en vouloir à quelqu'un ; il est également défendu de désespérer... La société dit, pour sa part : « Ne t'affiche pas ! Contrôle-toi... Fais semblant qu'il n'y a rien... Montre-toi brave... Tiens-toi comme un adulte... »

Ces règles de conduite ne peuvent malheureusement rien apporter à la personne qui cherche à développer son JE; cette négation des sentiments, ce « faire semblant » ne peut qu'empêcher sa croissance. On doit par conséquent suspendre temporairement certains enseignements de la religion et de la société ainsi que ses propres préjugés, pour pouvoir découvrir ses sentiments et devenir habile dans leur neutralisation. L'examen de plusieurs sentiments négatifs, qui nuisent au développement de l'autonomie, conduiront à une meilleure connaissance de soi.

L'angoisse

Le plus vague et le plus imprécis des sentiments est l'angoisse. Il indique sa présence par un malaise psychique et corporel qui va de la simple nervosité jusqu'à l'anxiété aiguë. L'insomnie, la perte d'appétit, le manque de concentration et les brûlures d'estomac sont parmi les symptômes les plus communs, envahissant la personne par vagues et la rendant non fonctionnelle.

L'angoisse traduit l'incapacité de la personne à résoudre un conflit, la partie du JE qui veut une chose étant en opposition avec la partie du JE qui veut ardemment autre chose.

Les éléments constitutifs de l'angoisse peuvent être de trois types : informatif, situationnel et interpersonnel. Dans le premier cas, la personne se voit privée des informations requises pour réduire sa tension. Imaginez que votre médecin vous ordonne des examens neurologiques ; l'angoisse suscitée avant les examens (« Je suis malade ! » contre « Je veux être en santé ») disparaît quand vous obtenez les résultats positifs. Ou bien votre patron demande à vous voir (« Des mauvaises nouvelles. Je ne suis pas correcte ! » contre « Je veux être correcte ! ») et vous constatez que votre inquiétude baisse en apprenant qu'il a un nouveau projet à vous proposer. Ou encore il y a menace de grève dans votre travail et, lorsque vous apprenez que c'est remis, la nervosité que vous ressentiez disparaît.

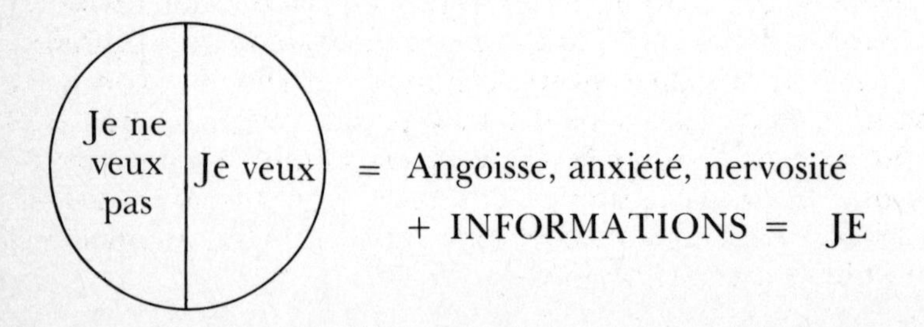

Contrairement au premier exemple, où le conflit est à l'intérieur de l'individu, l'angoisse suscitée par les conflits interpersonnels implique deux JE :

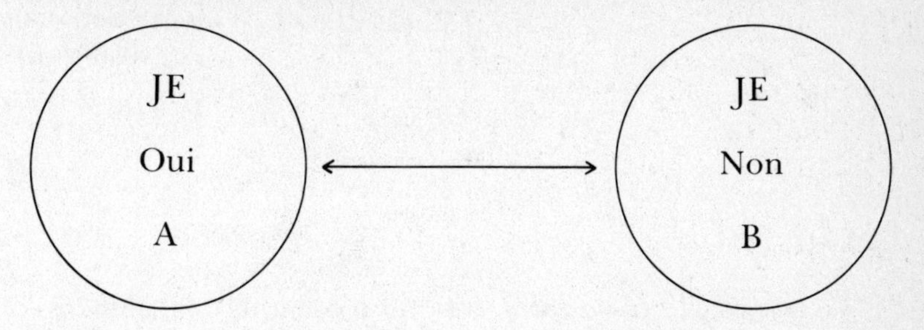

En présence de A, B vit de l'angoisse quand il voit que sa position est en opposition avec celle de A, et il constate qu'il est dans une impasse, qu'il n'a pas d'outils pour régler le conflit. Parmi les outils efficaces, il y a la négociation (qui sera vue en détail dans la deuxième partie), la défense ou l'affirmation du JE.

JE A Oui ↔ JE B Non = Conflit + Outils = JE JE

À l'extrême, l'angoisse aiguë se manifeste à travers les phobies et traduit les conflits de nature informative (malaises corporels, symptômes, douleurs, consultations médicales excessives) et situationnelle (voyages en avion, foules, insectes, ascenseurs, tunnels). L'objet de la phobie est clair et défini. Cependant, ces phobies ne font que cristalliser un conflit de nature interpersonnelle beaucoup plus intense, plus profond, et censuré par le JE. Comme l'individu s'interdit de rendre ce conflit « public » (de l'amener au niveau conscient), le JE sort l'énergie, suscitée par le conflit mais refoulée, sur un objet ou une situation.

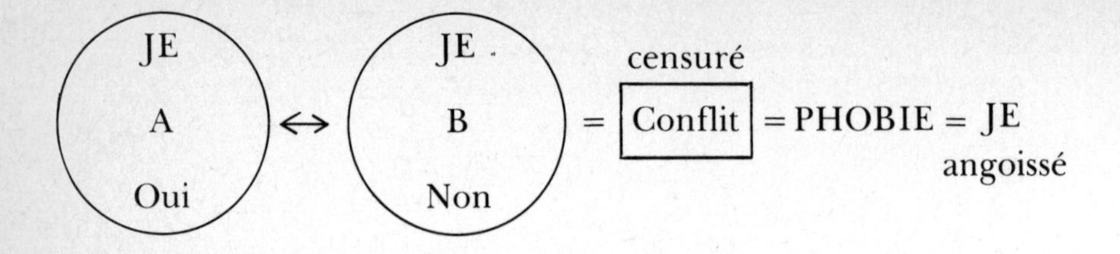

Comme l'angoisse est fonction de certains déclencheurs, il devient clair que la façon de l'atténuer consiste à agir sur les déclencheurs. Ainsi, l'angoisse suscitée par un manque d'informations peut être dissipée en obtenant les renseignements pertinents.

« J'étais inquiet/e à penser que tu pouvais être en route lors de la tempête. Alors, j'ai appelé pour être certain/e que tu n'étais pas parti/e. »

Quand le déclencheur est interpersonnel, les outils d'affirmation et de défense du JE, adéquatement appliqués, réduisent efficacement l'angoisse. La négociation entre deux JE opposés permet aussi de diminuer l'angoisse. Malheureusement, la réduction d'angoisse par rapport aux phobies nécessite une relation d'aide par un professionnel, le JE n'étant pas assez fort pour effectuer ses propres interventions d'aide.

La dépression

La dépression offre plus d'un visage. Le premier en est un de tristesse ou de nostalgie par rapport à l'interruption d'un plaisir. Non loin dans la conscience de la personne, l'objet de la perte s'identifie assez facilement ; il s'agit souvent de souvenirs agréables :

— un endroit où on aimerait être ;
— une personne de qui l'on s'ennuie ;
— certains jours de détente et d'harmonie ;
— une étape de vie passée ;
— la fin d'un moment de plaisir.

La capacité de l'individu de s'occuper de ses tâches quotidiennes n'est pas tellement affectée dans ce premier état. La tristesse qu'il ressent est due à *l'interruption* du plaisir dans sa vie mais il a espoir de renouveler le plaisir perdu.

L'autre visage de la dépression découle d'une *privation* de ce dont la personne a besoin pour se satisfaire, ce qui diffère de *l'interruption,* car l'espoir de retrouver ce plaisir est très mince. Parmi les privations les plus courantes, il y a le manque de stimulation : la vie est ennuyeuse, monotone. Ou le manque d'approbation, d'acceptation : l'être flotte dans un monde où il n'est pas certain d'être important ou d'être accepté par les autres, d'où un manque de valorisation. Finalement, la privation peut être traduite par l'apathie de l'individu quant à l'efficacité des actes qu'il pose et quant à son potentiel d'agir sur son sort ou de le changer.

Contrairement à la première manifestation de la dépression, ici l'objet de la privation est flou, vague, indéfini ; la dépression se traduit, chez la personne, par une interruption de son habileté à interagir avec son milieu.

Les deux expressions de ce sentiment de dépression s'accompagnent toujours d'une forme ou d'une autre d'agressivité, car la personne est mécontente de quelque chose quelque part...

« Je ne veux pas que tu t'en ailles ; je veux que tu restes. »

« J'en ai marre d'avoir une vie plate ! Je veux vivre ! »

« J'échoue dans tout ce que je fais ; j'en ai assez ! »

Cette agressivité peut être dirigée vers soi : l'individu s'excède alors physiquement par le travail, par des activités sociales excessives, par l'abus de médicaments, d'alcool et de cigarettes, etc. L'agressivité peut aussi s'orienter vers les autres, de manière voilée ou non, dans la communication verbale (par exemple, dire des blagues aux dépens d'un autre) et non verbale (par exemple, avoir des gestes durs et rudes, même avec un beau sourire).

Quand la dépression provient surtout de la privation, elle porte à une retraite de plus en plus prononcée ; la personne manque d'énergie, souffre d'insomnie, perd l'appétit ; son état de santé se détériore, elle est triste, pleure souvent et ses expressions verbales traduisent la dévalorisation de soi qu'elle ressent. Quand le sentiment de dépression règne longtemps sur l'individu, il peut même conduire à la mort.

En termes d'effets sur l'autonomie du JE, la dépression place la personne dans une position de victime ballottée par les autres. Aussi voit-on l'énergie du JE bloquée : son mouvement se dirige vers l'intérieur, parce que le JE est mobilisé par l'agressivité qu'il ressent envers quelqu'un d'autre ou est préoccupé par l'absence de ce qu'*il n'a pas* pour être heureux.

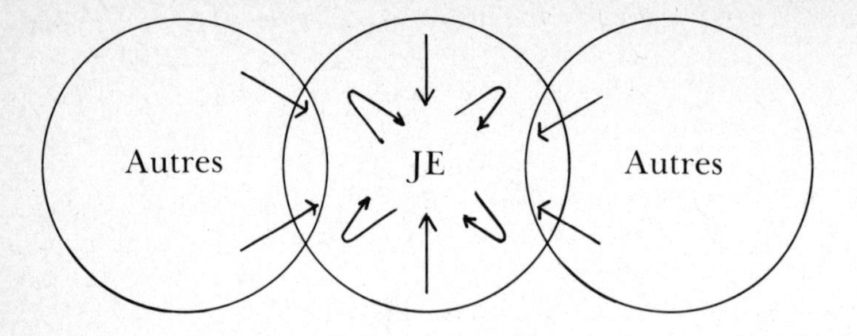

Pour débloquer l'énergie du JE et lui permettre de reprendre son pouvoir décisionnel, la personne doit s'attarder à la tâche de découvrir le véritable objet de son agressivité et l'exprimer directement à l'autre (au lieu de retourner cette agressivité contre elle-même), en termes de « je ne veux pas... » ou « je n'aime pas... » (ce qui ouvre la porte à la négociation).

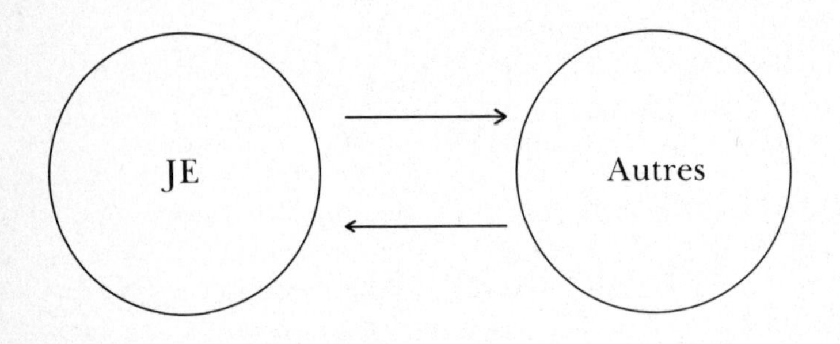

La grille d'analyse formée des trois interrogations (décrite à la page xxx et suivantes) aidera la personne à cerner son sentiment et l'objet de son inconfort.

Il arrive parfois que l'objet véritable de l'agressivité ne soit pas une personne, mais un ensemble de règles implicites ou explicites dans le vécu de l'individu déprimé. En voici un exemple : les Dupont ont l'habitude d'aller souper chez les beaux-parents le dimanche ; il s'agit d'une coutume que le mari n'aime pas tellement. Il ne se sent pas très à l'aise avec ses beaux-frères et pas du tout avec sa belle-mère. Pourtant, il y va quand même pour faire plaisir à sa femme et, surtout, pour ne pas susciter de questions (ce qui arriverait, s'il n'y allait pas). Il s'ensuit qu'il est systématiquement déprimé la journée du lundi. Dans cet exemple, le mari — agressif d'être obligé d'aller souper tous les dimanches chez ses beaux-parents — est incapable de s'affirmer, de se défendre ou de négocier son « je ne veux pas » ou son « je n'aime pas » ; il dirige donc son agressivité contre sa propre personne, qui s'effondre sous l'attaque.

La dépression et ses formes mineures, la tristesse et la léthargie, se prêtent à une résolution quand le JE est autonome. Cependant, le JE non autonome, devant les difficultés complexes et diffuses de la dépression, serait mieux de rechercher de l'aide professionnelle.

La culpabilité

Se sentir coupable revient à ne pas se différencier des autres : le JE est presque totalement éclipsé par les autres.

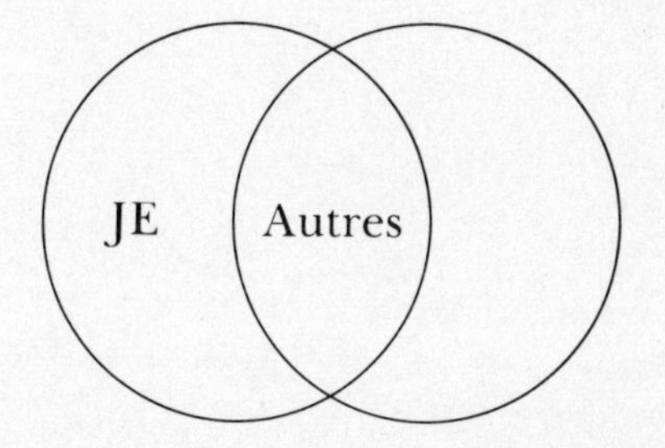

La personne qui se sent coupable se reconnaît facilement à son comportement conciliant ; elle se blâme, se soumet : « C'est de ma faute ! » constitue son mot de passe. Souvent, cet individu présente également des symptômes physiques, des malaises corporels.

La position de la personne coupable en est une de victime ; n'importe qui peut faire n'importe quoi avec elle : on n'a qu'à la faire se sentir responsable et le tour est joué :

« C'est ça, j'ai mal à la tête maintenant ! »

« Si tu avais fait..., je n'aurais pas eu à... »

L'énergie du JE coupable est immobilisée à cause de son intense préoccupation des autres. Cette personne cherche chez les autres les indices de ce qu'il faut qu'elle fasse pour leur plaire. À l'extrême, la culpabilité va jusqu'à obliger la personne à se punir, pour avoir failli à sa tâche de rendre les autres heureux. Comme nous l'avons vu avec le sentiment de dépression, « les autres » signifient autant une personne spécifique qu'un ensemble de règles intégrées par l'individu au cours de sa vie. Par exemple :

« Je vais me forcer à être de bonne humeur. »

« Je le fais pour te faire plaisir. »

« Je vais bien m'habiller, car ils sont fiers de leur apparence. »

Pour récupérer son pouvoir, une fois que le sentiment de culpabilité a envahi le JE, la personne doit d'abord se différencier des autres, c'est-à-dire bien déterminer où elle finit et où les autres commencent. La grille d'analyse permettra ensuite d'achever la récupération de son pouvoir décisionnel, en fournissant à l'individu la possibilité d'agir (et non de subir) sur la personne ou sur la règle culpabilisante. Lors du prochain chapitre, nous fournirons les outils nécessaires pour reconnaître les personnes, les situations et les règles culpabilisantes.

La haine

La haine est le résultat d'une attaque sur l'amour-propre d'une personne et est caractérisée par de l'agressivité dirigée contre l'objet ou le sujet qui l'a provoquée. L'individu qui éprouve ce sentiment blâme les autres ; il se montre incontrôlable, irrationnel ; sa rage peut le conduire à abuser physiquement de l'autre, voire même à le tuer.

Dans l'existence d'une personne remplie de haine, le JE n'occupe aucune place ; l'énergie est complètement mobilisée par l'autre.

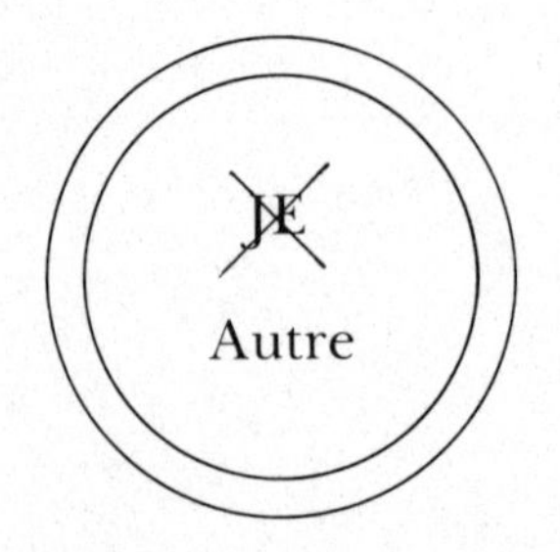

Le désavantage majeur de cette position, c'est le risque que court la personne en extériorisant sa haine ; celle-ci peut engendrer des conséquences inacceptables dans notre société. Cependant, aussi longtemps que l'individu n'exprime pas directement sa haine, sa colère ou son agressivité à l'autre, il s'expose également à demeurer paralysé dans sa démarche vers l'autonomie.

Vivre son sentiment de haine en milieu sécuritaire — en frappant, par exemple, un substitut de l'objet qui a suscité la haine (un oreiller, une poubelle, une poupée, etc.) — fournit la seule issue possible pour évacuer ce sentiment quand la haine (ou ses formes diverses) n'a pas envahi la personne au point qu'elle devienne non fonctionnelle pendant de longues périodes de temps. Retenons de la haine qu'elle empoisonne le JE. Si la haine demeure non résolue trop longtemps, la thérapie est conseillée.

Le rejet

Le rejet se reconnaît au sentiment de ne plus appartenir à quelqu'un ou à quelque chose et il présuppose un état de dépendance émotive ou matérielle. En effet, plus l'individu est dépendant, plus il est susceptible de ressentir du rejet. Ainsi, par ses pleurs, le bébé délaissé exprime, au milieu dont il est si dépendant pour son bien-être, son sentiment d'isolement et de rejet. La fréquence et la durée du sentiment de rejet reflètent donc le degré de maturité émotive de la personne.

La position de victime, qui est encore celle de l'individu rejeté, se caractérise pas la tristesse, la frustration, l'isolement et la confusion. Cet état s'avère particulièrement favorable au développement d'autres sentiments désagréables, comme la culpabilité, la haine, la dépression, l'échec et le désir de se venger, ce qui constitue autant de raisons pour se débarrasser au plus tôt du sentiment de rejet dès qu'il est reconnu.

L'énergie du JE est alors totalement absorbée par l'autre et la différenciation se révèle inexistante.

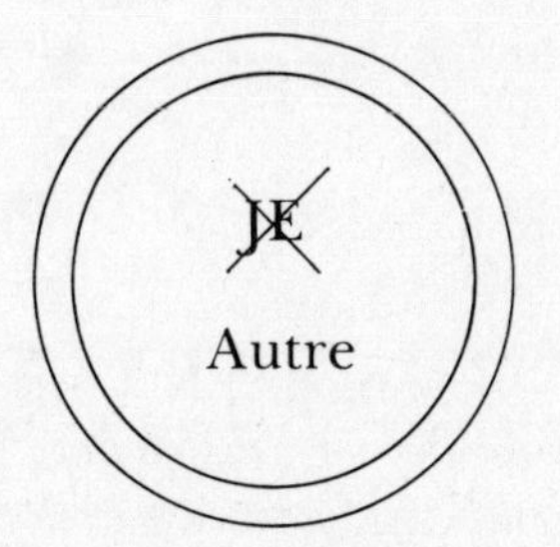

Mettre l'accent sur cette différenciation, sur la définition et sur la valorisation de soi se présente comme le chemin à suivre pour renverser un sentiment de rejet. Cependant, ce sentiment s'avère particulièrement difficile à déloger en raison de son atteinte, souvent très profonde, à l'amour-propre de la personne.

La peur

La peur de prendre une décision se distingue par l'incapacité de la personne à prédire ce qui lui arrivera ; l'insécurité s'installe donc. La peur se rattache à un manque d'information. Toutefois, l'être humain ne peut pas avoir accès aux connaissances nécessaires pour faire face à chaque situation nouvelle. Par instinct de survie, il éprouve donc une peur de se mettre en danger quand il affronte des situations où le résultat demeure inconnu.

La peur se manifeste par de grands yeux écarquillés et un comportement figé ou même inhibé ; l'individu devient paralysé dans sa démarche, il fuit parfois même carrément la décision qu'il est appelé à prendre. La peur attaque sa confiance en soi et lui refuse la permission de commettre une erreur.

Cette position de victime apeurée confondue avec son milieu empêche l'épanouissement et l'acquisition de l'autonomie. L'énergie se trouve alors brusquement freinée dans son mouvement vers l'extérieur et l'individu ne parvient pas à actualiser ses besoins.

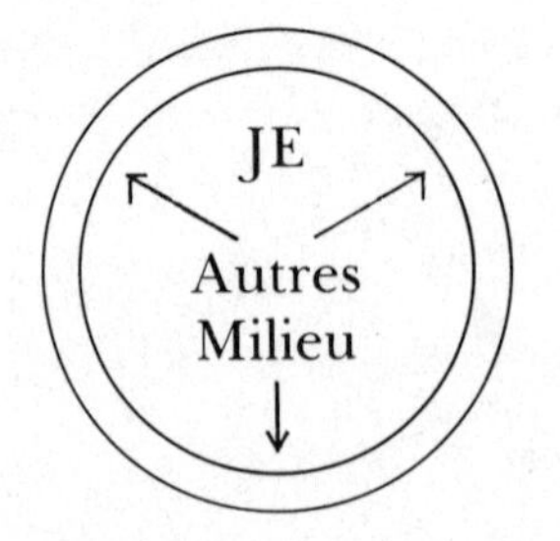

Cependant, la peur joue le rôle d'une défense très importante pour l'être humain ; parfois elle lui indique qu'il ne possède pas suffisamment de ressources pour composer avec ce qui se présente à lui. Ne pas tenir compte de sa peur conduirait à se jeter dans n'importe quelle situation, ce qui pourrait s'avérer mortel dans certains cas. Par conséquent, le JE autonome qui *choisit* d'écouter sa peur et de ne pas agir, *pour le moment,* protège sa personne d'un danger réel.

Finalement, renverser le sentiment de peur, ou son expression moins apparente qu'est l'insécurité, exige de se prévaloir des renseignements nécessaires auprès de personnes bien informées, du moins en ce qui concerne les situations d'ordre concret ou matériel. Dans le domaine émotif, il s'agit de libérer le JE, afin qu'il vive ses expériences ; un JE qui expérimente beaucoup se place en meilleure posture pour définir ce qu'il veut, par opposition à ce qu'il ne veut pas, et ce dont il n'a pas peur par rapport à ce dont il a peur.

L'échec

Comme on l'a déjà vu, le sentiment d'avoir échoué équivaut pour beaucoup de gens à un JE déficitaire, à un JE inadéquat. Donc, il s'ensuit que le fait d'avoir échoué entraîne une déception, une perte de confiance et une dévalorisation de soi. À l'extrême limite, l'échec provoque l'apathie, accompagnée d'un manque d'initiative.

Par cette perception subjective et erronée qu'un échec les diminue, la majorité des gens se placent en position de victimes des circonstances, dépossédées de tout pouvoir d'altérer les situations frustrantes.

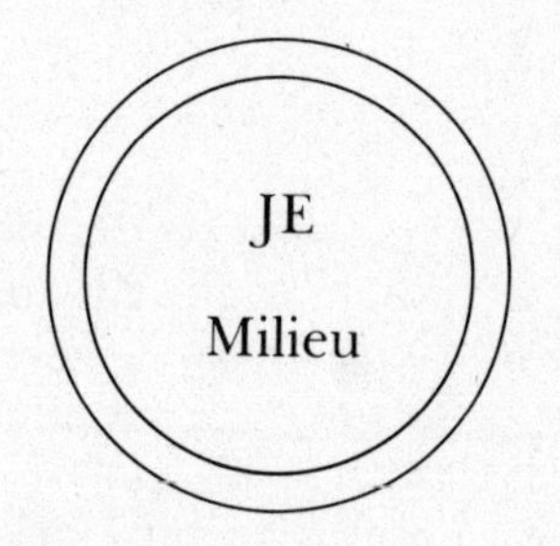

Pour réussir à chasser un sentiment d'échec, il s'agit d'objectiver le phénomène selon les moyens établis à la page xxx, c'est-à-dire analyser les éléments intervenus dans la démarche et appliquer les modifications appropriées.

La vengeance

Le désir de se venger revient à vouloir se justifier et se valoriser en punissant l'autre. Ce sentiment naît d'une atteinte à l'amour-propre, qui s'effacerait dès que l'autre aurait été châtié. Le code pénal de notre société valorise cette façon de liquider le sentiment de vengeance ; la structure familiale agit de même, dans bien des cas : on punit ceux qui causent du mal aux frères, sœurs, père, mère.

Dans sa manifestation extérieure, la vengeance ressemble beaucoup à la haine, sauf que l'individu vengeur, loin de perdre le contrôle de lui-même, se montre capable d'attendre le moment propice pour obtenir satisfaction.

La position de la personne vengeresse est donc double : il y a, d'une part, un JE fort qui a établi son but (se venger) et qui, convaincu, tend vers sa réalisation. D'autre part, un petit « je » qui considère les autres comme grandement responsables de son bonheur.

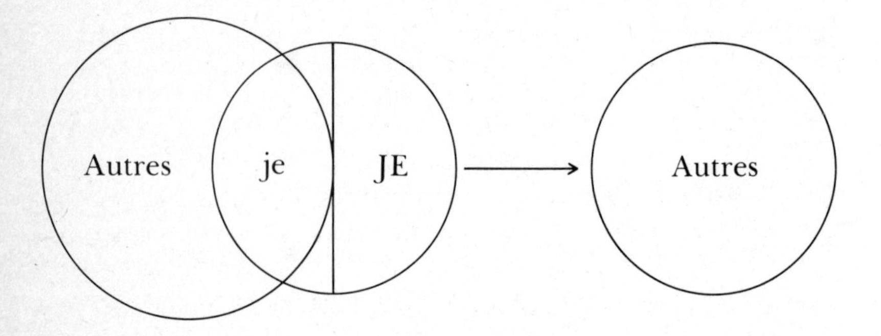

La personne victime d'un désir de vengeance se présente également comme méfiante, se tenant sur ses gardes, ce qui rend difficiles ses relations interpersonnelles. Mais son énergie ne se trouve pas entièrement bloquée. Cependant, le but que constitue la vengeance risque, par son caractère passionnel, de supplanter d'autres décisions qui s'avéreraient favorables à l'individu dans son quotidien.

Le sentiment de vengeance se dissout difficilement, parce que l'amour-propre de la personne a été attaqué. Néanmoins, plus le JE se différencie et plus il s'aime, moins il a besoin de l'autre comme source de justification ou de revanche.

La solitude

Éviter de prendre une décision autonome, parce qu'on se sent seul, se révèle une contradiction. Tel que préalablement décrit, le processus décisionnel est un processus solitaire : le JE interagit avec lui-même. Prendre une décision à deux revient à abdiquer son pouvoir et à mêler ses propres besoins à ceux d'un autre.

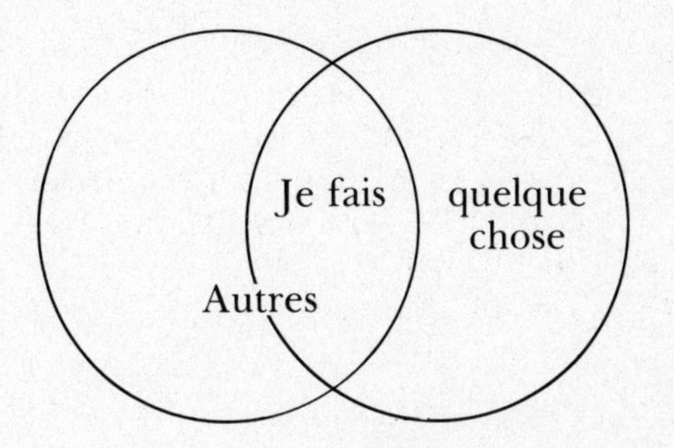

Il ne faut cependant pas confondre la prise de décision à deux (ce qui est non autonome) et la négociation entre deux JE autonomes ; la deuxième partie élaborera cette distinction.

Dire « Je me sens seul/e », devant une tâche à accomplir (élever les enfants, voir à des arrangements funéraires, négocier un emprunt à la banque, répondre à une entrevue pour un travail, acheter une maison, etc.), traduit un JE qui aimerait que quelqu'un d'autre prenne les décisions, agisse et solutionne un problème à sa place. Le JE autonome dirait à un autre : « J'aimerais que tu m'aides à... »

Par ailleurs, s'abstenir de décider, parce qu'on se sent seul pour actualiser son choix, implique une fausse perception de son JE ; n'envisager le pouvoir du JE qu'en autant que d'autres le soutiennent témoigne d'une médiocre connaissance de soi ainsi que d'une piètre estime de soi.

Le sentiment de solitude n'arrive pas à paralyser un JE conscient de son pouvoir constant d'exercer un choix et de rechercher activement les moyens d'actualiser un but.

La honte

Beaucoup de gens ne parviennent pas à opter pour une décision, parce qu'ils ont honte... de leurs besoins. Le JE se fusionne alors tellement aux autres qu'il donne priorité à ce que les autres vont penser plutôt qu'à ses besoins.

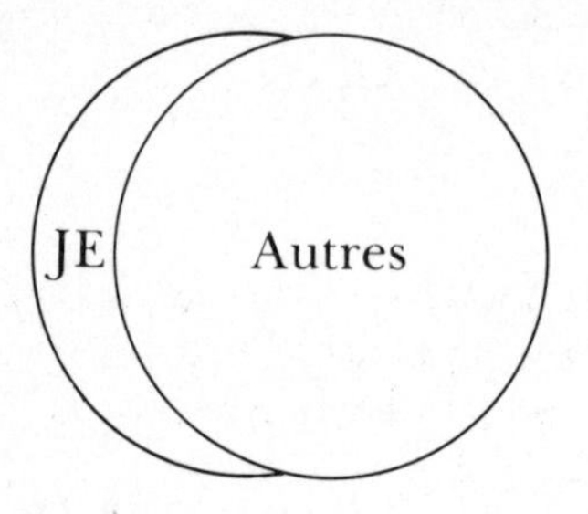

Le JE s'éclipse, son énergie stagne et une possibilité d'action meurt à l'état embryonnaire. Les personnes accablées de la sorte se révèlent si peu convaincues de la validité et de l'importance de leurs besoins qu'elles deviennent inhibées et subissent une vie monotone. On les reconnaît à leur comportement timide, effacé et manquant d'enthousiasme. Elles mesurent toujours l'importance de leurs besoins par le contexte qui les entoure.

Encore une fois, une approche plus authentique de leurs besoins réels et la conviction de leur valeur personnelle réussit à remettre ces individus en marche vers leur autonomie.

L'impuissance

Le sentiment d'impuissance se vit d'une façon particulièrement douloureuse car, contrairement aux autres sentiments qu'on peut dissimuler ou confondre avec d'autres, celui-ci s'impose à la conscience d'une manière claire et même brutale. La personne impuissante éprouve l'impression d'avoir heurté un mur ; tout en étant consciente de la situation, elle ressent le manque de pouvoir de son JE à y remédier.

Les expressions d'impuissance peuvent osciller de la reconnaissance dramatique de l'obstacle, qui empêche l'efficacité de l'action du JE, à la révolte la plus bruyante et la plus agressive. Peu importe la manifestation que l'individu adopte, pourvu qu'il la vive intensément, afin de libérer son

JE de l'emprise de l'impuissance. Plus il oblige son JE — soit par la rationalisation (« C'est parce que je suis fatiguée »), la normalisation (« Ce n'est pas correct de crier »), ou la bienséance (« Il ne faut pas que je pleure ») — à encaisser son mal, plus le JE est paralysé et souffrant. Mais une fois son énergie dégagée, la personne pourra se tourner vers *ce qu'elle peut faire pour elle maintenant,* avec les éléments sur lesquels il ne s'avère pas impossible d'agir.

La jalousie

Le sentiment de jalousie est la perception de soi comme étant ou ayant moins qu'un autre.

« Il a eu de la chance d'avoir ce poste ! Que j'aimerais l'avoir, bon sang ! »

« Elle est plus belle que moi ! »

La perception de soi-même est amoindrie, déficitaire, donc pas intéressante ou valable aux yeux des autres. La valeur de l'individu est conditionnelle aux atouts extérieurs à lui-même : s'il était ou avait telle ou telle chose, il serait extraordinaire (tout comme l'autre qu'il envie).

La jalousie survient quand la personne érige une comparaison entre elle-même et quelqu'un d'autre, ce qui a pour effet de transformer son auteur en perdant. Son estime de soi s'écroule sous l'impact de l'image que lui renvoie l'objet de sa jalousie. Il sent qu'il a des manques, des lacunes, qu'il est inférieur d'une quelconque manière.

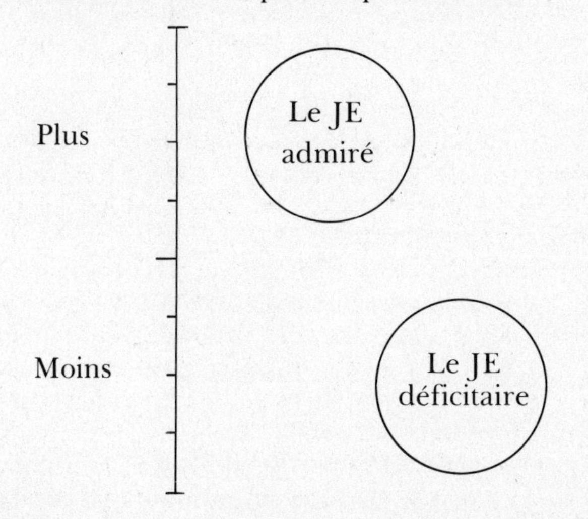

Plus l'atteinte à l'estime de soi est perçue comme forte, plus la personne riposte par un comportement acerbe et mesquin.

La jalousie traduit un petit je, dépendant des autres ou des choses extérieures quant à sa source de valorisation. Une personne consciente de ses points forts et sûre d'elle-même est rarement paralysée par la jalousie.

Maintenant qu'on a identifié ces sentiments, leur allure et leurs effets, comment peut-on s'assurer qu'ils ne stoppent pas notre fonctionnement ?

Il s'agit d'abord de *les reconnaître ;* il s'avère en effet très difficile d'intervenir dans un problème lorsqu'on en ignore les données. À titre d'exemple, la dépression et la culpabilité peuvent produire sensiblement les mêmes effets : retrait, manque d'initiative, confusion et attente envers les autres ; cependant, l'action à porter par rapport à la dépression ne ressemble aucunement au travail à entreprendre par rapport à la culpabilité.

Il importe, en deuxième lieu, *d'accepter ces sentiments comme une réalité du JE ;* le seul fait que la personne les ressente prouve qu'ils existent. Beaucoup de gens éprouvent une grande honte, dès qu'ils flairent la présence d'un de ces sentiments forts et socialement réprouvés, comme la haine, la jalousie, la dépression, etc. Ces individus songent à ce moment : « Ce n'est pas moi ! » ou « Je ne veux pas être comme ça ! ». Plus une personne, au contraire, se rend rapidement compte que ce qu'elle ressent *lui appartient,* plus elle se place en excellente position pour démarrer le processus approprié, afin d'empêcher son sentiment désagréable d'entraver son énergie.

Accepter ses sentiments implique évidemment de *ne pas les nier.* Ce n'est pas en démentant leur existence que ces sentiments disparaîtront, mais plutôt en parvenant à les appeler par leur nom, à les assumer comme lui appartenant, et en leur appliquant une contre-mesure directe.

Une dernière étape s'impose finalement : *vivre ses sentiments dès qu'ils deviennent conscients.* Quand l'un d'eux est ignoré, abandonné à la dérive, non identifié, non reconnu, mais réprimé, contrôlé, freiné, il paralyse l'individu. Un sentiment est de l'énergie générée par l'acte de vivre ; c'est l'indicateur, pour l'organisme, d'une détresse, d'une agression, d'un danger, d'une insatisfaction... De leur côté, les sentiments agréables, tels que la joie, le bien-être et le bonheur expriment de la satisfaction au corps, ainsi que de l'harmonie entre toutes ses parties et avec son milieu. La satisfaction sert de signal pour indiquer qu'on est dans la bonne église et dans le bon banc. Cultiver l'identification de ses sentiments revient donc à se donner des clefs d'adaptation.

Cependant, vivre ses sentiments, dans le but de développer de meilleurs moyens de s'adapter, ne signifie pas de les vivre n'importe où, sans distinction. Le JE sage saura harmoniser son développement social avec le développement de son autonomie. Cet aspect sera d'ailleurs vu en détail dans la deuxième partie. Nous verrons aussi comment composer avec les sentiments négatifs suscités par un autre.

Toutefois, des circonstances de longue durée peuvent avoir fini par forger, chez la personne, un système de défense très fort. Cette situation nécessite alors l'aide d'un spécialiste, afin que ces défenses cessent d'endiguer le flot de son énergie.

Deuxième partie

Le JE en relation avec les autres

L'autonomie dans le discours

Nous savons maintenant qu'on peut être autonome dans ses actes, en prenant des décisions en fonction de ses besoins personnels et en agissant selon soi-même et pour soi-même. On ne peut cependant pas être autonome uniquement dans ses actes. Si un individu se montre autonome dans sa façon d'agir, il le sera également dans ses paroles, car parler est aussi agir. Réciproquement, la façon dont une personne communique traduit le degré d'autonomie qu'elle a atteint dans ses agissements. On doit donc être autonome dans ses actes *et* dans sa communication.

LA COMMUNICATION

Communiquer constitue non seulement la chose la plus facile à effectuer mais encore il est impossible de ne pas communiquer ! Chaque mot, chaque geste, chaque silence, chaque rire et chaque position corporelle livrent un message. On émet continuellement des messages, qu'on soit seul ou avec d'autres.

Comme on l'a mentionné au début de ce livre, l'être humain, par ses actes, essaie de sentir qu'il est spécial, de susciter l'approbation. Dans la communication, l'individu tente aussi combler ces deux besoins psychologiques mais, en plus, il cherche à exprimer ses besoins personnels et à défendre son JE de l'agression ou de l'envahissement. Par conséquent, communiquer s'avère une façon par laquelle l'être humain assure la satisfaction de ses besoins. Il parvient ainsi à diminuer l'insécurité que provoquent en lui les multiples bousculades quotidiennes et apprend à composer adéquatement avec son milieu.

La manière de communiquer d'une personne reflète les stratégies dont elle dispose pour interagir avec ce qui lui arrive. Plus un individu se trouve dans des situations stressantes, plus son répertoire de comportements pour y remédier devient évident. Ainsi, la personne dominatrice tente de dominer encore davantage quand elle est appelée à vivre une phase insécurisante ; l'individu rationnel devient encore plus rationnel, l'impulsif plus impulsif, etc.

La manière dont une personne communique avec une autre dévoile le type de relation qu'elle entretient avec cette personne. Par exemple, communiquer de façon complémentaire crée une relation complémentaire avec l'autre. On en trouve une excellente illustration dans le lien qui unit un individu dominateur à une personne soumise : pour dominer, il faut que l'autre se soumette ; pour s'assujettir, il est nécessaire que l'autre dirige. Ce type de relation, basé sur les différences et l'inégalité des participants, fonctionne très bien.

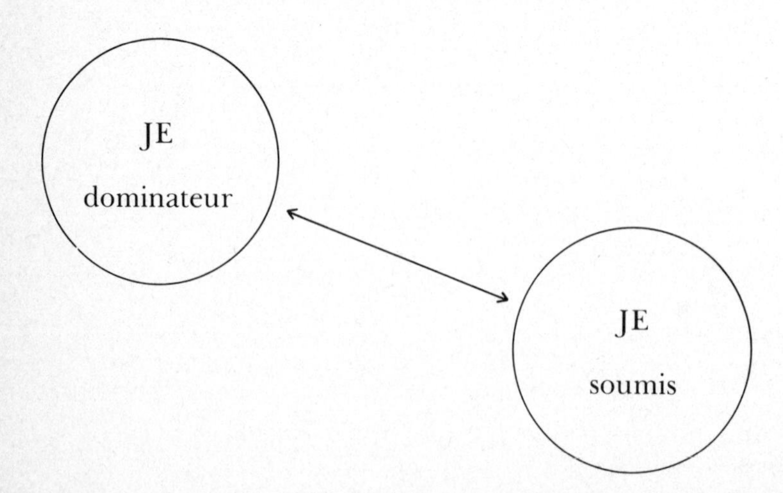

On rencontre, à l'opposé, la relation symétrique, qui découle d'une communication symétrique ; elle se caractérise par la minimisation des différences. Dans ce cas, deux personnes dominatrices pourront établir une relation satisfaisante entre elles.

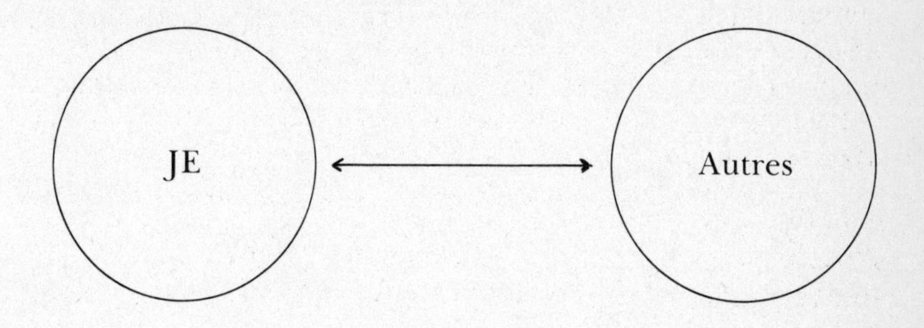

COMMUNIQUER, C'EST QUOI ?

Qualifier de complexe l'acte de communiquer ne traduit en réalité que peu toute sa complexité. La communication recèle en effet, comme la plupart des comportements humains, une foule d'éléments différents. Cependant, s'il pouvait saisir suffisamment cette complexité, l'adulte désireux de devenir plus autonome pourrait alors utiliser la communication pour résoudre plusieurs de ses problèmes.

SCHÉMA DE COMMUNICATION

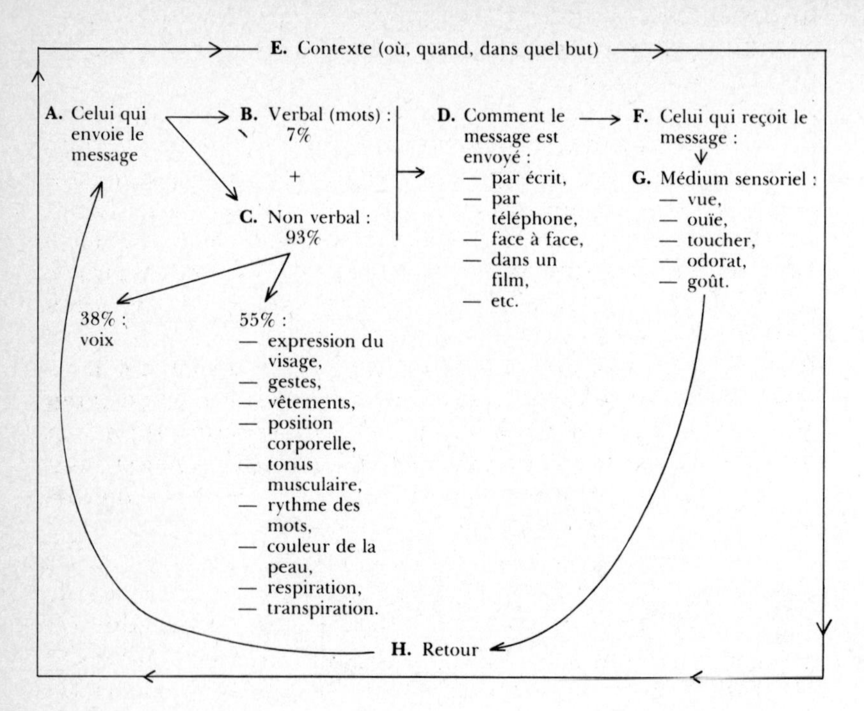

En utilisant le schéma qui précède, on peut analyser les divers éléments qu'englobe la communication. On verra ensuite comment une tâche technique devient une communication autonome.

A. Il y a d'abord celui qui parle. Au moment où il s'exprime, il constitue la somme de toutes ses expériences vécues, conscientes ou inconscientes ; il est le produit de son éducation, de son bagage socio-culturel, de son hérédité, de son âge, de son état de santé et de son état émotionnel. Cet individu envoie un message qui, selon lui, devrait lui assurer le résultat qu'il veut susciter chez l'autre. Somme toute, il fait son possible avec ce qu'il possède.

B. En choisissant son vocabulaire pour exprimer son message, la personne ignore souvent que les mots ne forment qu'environ 7 p. 100 de la totalité de la communication. Les mots sont, en eux-mêmes, dépourvus d'impact ; ils ne représentent qu'un ensemble ordonné de sujets, verbes, compléments, etc.

C. Le non-verbal donne de la couleur, du pouvoir, de l'impact aux mots ; 93 p. 100 du message se transmet par le non-verbal. Ainsi, la voix stridente, l'expression tendue du visage et la respiration haletante d'une personne traduisent un certain type de message, à travers le choix de certains mots, tandis qu'une voix langoureuse, un corps et un visage aux muscles détendus, sans détresse respiratoire laissent entendre un tout autre message, avec le même choix de mots.

D. La façon dont un message est émis s'avère aussi une des composantes de la communication. Par exemple, envoyer le message dactylographié « Je te hais » ne produit pas le même effet que si la personne recevait le même message lors d'un face à face direct avec son interlocuteur.

E. Le lieu, le moment et l'intention dans laquelle une personne émet un message jouent également un grand rôle dans la communication. Ainsi, réveiller quelqu'un pendant la nuit pour discuter de l'achat d'une auto ou du menu d'une prochaine réception n'aura pas le même impact que si le même message était transmis dans des circonstances où l'autre est bien éveillé et disponible. De plus, le but visé affectera la communication. Ainsi, envoyer un message pour se venger ou pour humilier l'autre ne produira pas le même effet que si le message est destiné à l'encourager.

F. Fait surprenant peut-être, celui qui écoute ne se réduit pas à une extension de celui qui parle, il n'en est pas une partie mais un individu distinct et unique *comme* l'autre mais *différent.* Beaucoup de gens ne reconnaissent pas que l'autre se distingue d'eux quand il s'agit de communication ; mais celui qui écoute est, au même titre que celui qui parle, la somme de toutes *ses* expériences conscientes et inconscientes, le produit de *son* éducation, de *ses* acquis socio-culturels, de *son* hérédité, de *son* âge, de *sa* santé...

Par conséquent, à cause de la nature unique de chaque personne concernée, il va sans dire que le message envoyé *ne correspond pas nécessairement* au message reçu. Pour chacun, les mêmes mots recèlent différentes résonances émotionnelles, divers niveaux d'abstraction.

L'aspect non verbal véhiculé par l'un peut aussi aller à l'encontre de l'échelle de valeurs de l'autre, comme dans le cas d'une jeune femme habillée d'une robe très osée qui parle avec une dame très conservatrice : le message de la première sera entendu autrement que si la jeune femme était vêtue jusqu'au cou et jusqu'aux chevilles.

G. Les perceptions sensorielles reçues avec le message influencent aussi la communication. Recevoir, par exemple, le message « Je te hais ! » accompagné d'un coup de poing suscitera chez celui à qui s'adresse ce message une réaction très différente de ce qui se produirait si le même message arrivait par la poste.

H. Finalement, le retour consiste en la réaction de celui qui écoute ; il s'agit plus précisément de la réponse que ce dernier envoie à son interlocuteur. Ce retour renverse les rôles et place la première personne dans la position de celui qui reçoit à son tour un message. C'est précisément ce mouvement cyclique circulatoire qui forme la communication et la relation à autrui.

Il devient évident que, pour un individu, communiquer ce qu'il veut et agir de manière à ce que son message soit reçu comme il aimerait sont fonction de tous ces éléments. Changer l'un deux équivaut à changer l'ensemble.

On s'aperçoit donc qu'une communication est fonction de la manière dont les différents éléments en cause se relient ensemble. Si un ou deux facteurs, dans toutes la complexité de la communication, peuvent faire échouer cette dernière, on peut également affirmer que la modification d'un ou de plusieurs facteurs peut assurer une communication satisfaisante.

X + X + X + 0 + X + 0 + X + X + X + X = Insatisfaction
X + X + X + X + X + X + X + X + X + X = Satisfaction

La communication constitue un comportement appris ; ses éléments non fonctionnels résultant d'un apprentissage pourront par conséquent se transformer en éléments fonctionnels au cours d'un nouvel apprentissage.

La communication non fonctionnelle

Jusqu'à présent, nous avons examiné la complexité de la communication humaine. Il nous reste maintenant à élaborer l'ensemble des facteurs qui peuvent, eux aussi, contribuer au fait que le message envoyé diffère parfois du message reçu.

LE JE ET LES AUTRES

Par le biais de pressions sociales, religieuses et culturelles, la plupart d'entre nous avons subi un lent mais sûr processus de dépersonnalisation. Il est à remarquer que, d'une façon générale, beaucoup de gens parlent en termes de « on », de « tu », de « nous », de « il » et de « elle » mais rarement en termes de « je ». On peut même déclarer que l'utilisation du Je s'associe, d'une manière presque automatique, à l'égocentrisme et à la domination, tous deux désapprouvés par notre société. Cependant, nous avons vu, dans le chapitre précédent, que loin d'être égocentrique ou dominateur, le Je autonome considéré sous l'angle de ses actes, se montre responsable et conséquent. Il semble donc plausible de conclure qu'une personne utilise les autres pronoms afin de s'assurer qu'elle ne soulève pas de désapprobation de la part de la société ou de sa famille par l'expression de son JE. Cependant, confondre son JE avec les autres pronoms dans sa communication équivaut à retourner à la position de non-différenciation, typique de la personne immature et dépendante.

Dans ces conditions, le JE ne jouit d'aucun pouvoir ; il réduit son impact en tant qu'individu et il limite sa capacité d'agir.

Qu'arrive-t-il, par conséquent, dans une communication autre que la communication JE ? Nous regarderons la communications JE par le biais du JE vu comme émetteur.

L'expression la plus commune et la plus perturbatrice tient dans un langage en termes de « tu » ou de « vous ». Autrement dit, la personne semble quitter son propre être et parler comme si elle habitait le corps de l'autre. Cet individu se présente comme un expert par rapport à ce que l'autre devrait être, devrait faire ou devrait ressentir.

D'ailleurs, les verbes qui sortent le plus souvent de la bouche de cet « expert » sont les verbes « devoir » (« Tu devrais... ») et « falloir » (« Il faut que tu... »). Non seulement cette personne s'affirme comme un maître en ce qui concerne l'autre, mais elle s'érige aussi en juge. Chaque fois qu'un individu communique autrement qu'en termes de Je, utilisant par exemple un « tu », il accuse, il attaque, il juge ou il érige les critères de performance de l'autre :

« Tu n'as jamais rien dans le réfrigérateur ! »

« Comment se fait-il que tu ne m'amènes nulle part ces temps-ci ?

« Tu es idiot ! »

« Tu ne seras jamais capable d'occuper ce poste-là ! »

« Toi ? »

« Tu aurais dû faire... »

L'utilisation du « tu » désigne l'autre comme responsable du bonheur de celui qui parle. Incapable d'assumer et de transmettre son JE, de s'assurer elle-même d'une certaine satisfaction par ses propres actes, cette personne souligne son besoin d'être importante par sa libre utilisation d'une autre personne, sans tenir compte qu'elle n'a pas le droit d'agir ainsi.

Un message en termes de « tu » provoque *en tout temps* chez le récepteur une réaction de défense, et possède un double désavantage : non seulement le récepteur ne reçoit aucune information personnelle concernant la personne qui s'adresse à lui en l'attaquant, mais encore doit-il se défendre de cette attaque ou de cette interprétation erronée de la part de l'autre concernant une situation donnée.

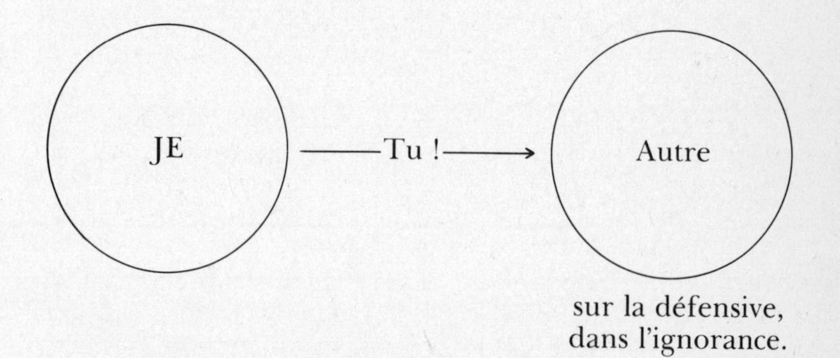

sur la défensive,
dans l'ignorance.

On imagine facilement que ce qui va suivre comme échange risque d'être très peu satisfaisant. Le langage-tu se révèle, de loin, le langage préféré des dictateurs, des dominateurs, des personnalités qui critiquent, qui sont plaignardes et aigries. C'est aussi le langage utilisé pour castrer, minimiser, dédaigner, ordonner, menacer, moraliser, conseiller, ridiculiser, interpréter, enquêter et esquiver l'autre.

Le JE autonome n'emploie jamais un « tu », car cette pratique constitue la pire agression d'autrui qui puisse exister. Le « tu » ne se retrouve sur les lèvres du JE autonome qu'au moment des commentaires positifs :

« Tu est formidable ! »

« Il n'y a que toi qui pouvais le réussir aussi bien ! »

« Tu es gentille. »

Si le JE autonome ne se sert pas du « tu », il n'accepte pas d'en recevoir non plus. Chaque fois qu'on lui adresse un

« tu », pour éviter de se retrouver sur la défensive et par là même dans le rôle de victime, le JE autonome interroge l'autre quant au contenu de son message :

« Qu'est-ce que cela signifie ? »

« Qu'est-ce que tu veux dire ? »

De cette façon, la personne autonome remet à l'autre l'obligation de clarifier et de personnaliser son message. À l'extrême, elle invite l'autre à reprendre celui-ci, en commençant par un Je. Cette pratique s'avère particulièrement efficace quand l'individu a affaire à des enfants ou à des adultes immatures.

L'usage du pronom « on » se révèle également très caractéristique de notre langage ; cette coutume agit de manière beaucoup moins dévastatrice que l'emploi du « tu », mais elle peut tout de même rendre une communication non fonctionnelle et non autonome. « On » est impersonnel : il se situe quelque part parmi les autres...

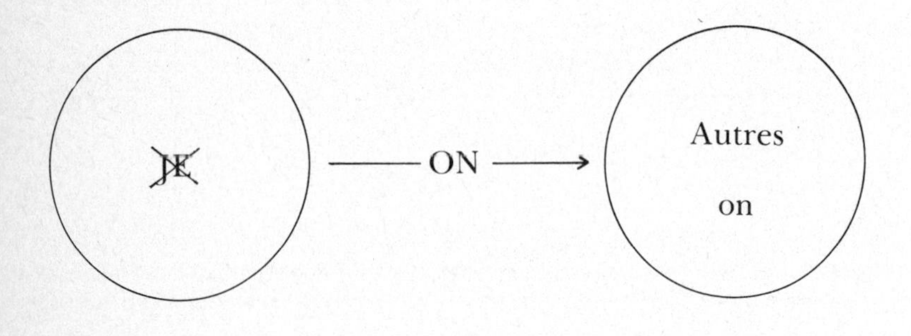

Cette imprécision du « on » rend justement son effet de camouflage très efficace et permet à son utilisateur d'éviter de prendre position. C'est un peu comme lors d'une partie de cartes : « on » peut s'allier à la main forte une fois le jeu dévoilé sans perdre la face ni paraître avoir mal choisi. Le « on » traduit un JE faible, incapable et de s'affirmer et de se défendre. Les utilisateurs du « on » se révèlent être des personnalités dociles, conciliantes, soumises, fades et effacées.

Ce qui suit l'émission d'une phrase-on est particulièrement remarquable : étant donné que le JE enrobe son message d'ambiguïté, celui qui le reçoit voit le champ libre pour *faire ce qu'il veut avec l'autre ;* il peut manipuler l'équivoque à son gré, ce qui relègue l'autre dans la position de victime. En voici un exemple :

« On pourrait peut-être aller chez X, si tu veux ? »
»Es-tu fou ? Je vais chez Y, et seul ! »

Le message du premier inclut implicitement son besoin d'aller chez X. Cependant, le « on » peut aussi bien désigner « je », que « nous » ou « tu ». Le « peut-être » confirme la confusion du pronom impersonnel, tandis que le « si tu veux » dénote que l'individu se place à la merci de l'autre.

Effectivement, ce dernier, constatant le champ aussi large, affirme : « Je vais chez Y, et seul ! » ; il en profite, en passant, pour minimiser et dénigrer le pauvre JE qui parle.

On emploie de manière moins répandue le pronom « nous » qui fait en sorte que le JE qui prend la parole se confond avec d'autres ; cette façon de procéder empêche une information personnelle de circuler entre A et B.

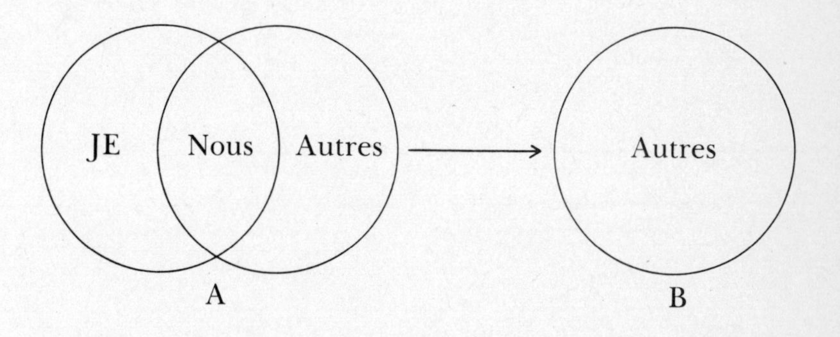

Ceux qui se servent du « nous » se répartissent en deux catégories : ceux qui sont déjà un peu définis et qui ont besoin des autres pour se sentir complets et forts ainsi que ceux qui considèrent que l'autre avec qui ils entrent en relation est inférieur à eux. On peut en trouver des exemples dans les contacts de l'enseignant avec ses élèves, de l'infirmière avec ses patients, du parent avec son enfant. Dans ces cas, l'emploi du « nous » produit chez l'autre, qui est forcément impliqué, un sentiment d'envahissement et d'exploitation de l'espace personnel de son JE, voire même d'une appropriation de sa personne. Ces effets s'avèrent souvent inacceptables.

Plusieurs types de personnes utilisent le « nous » ; aussi bien les timides et les effacés que les dominateurs et ceux qui s'affirment.

Employer les pronoms « il », « elle », ou « eux », bref la troisième personne, se révèle une autre façon par laquelle le JE évite de s'impliquer personnellement dans ce qu'il dit. Mais, cette fois-ci, A parle avec B de C.

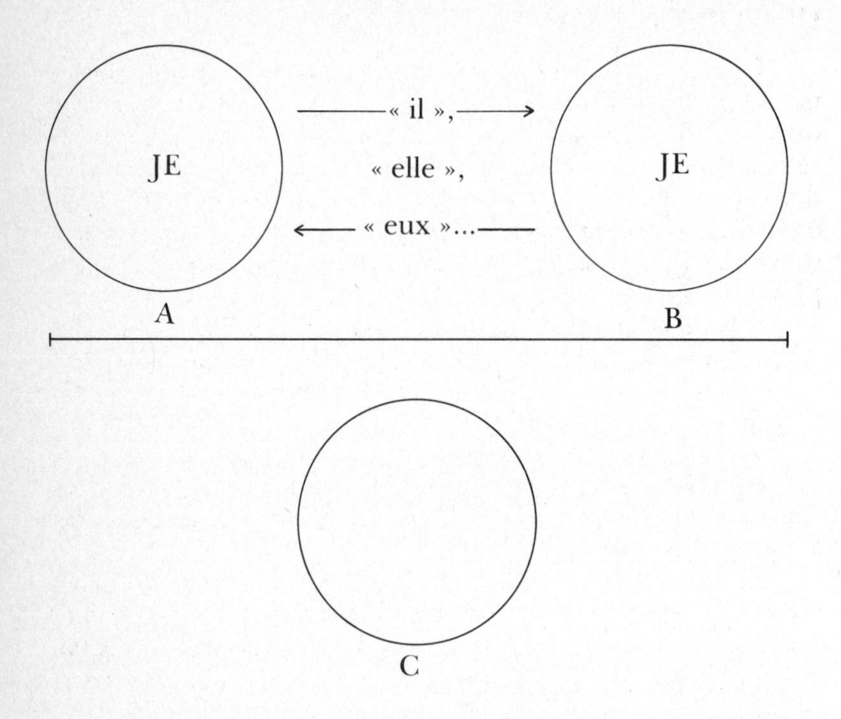

En résumé, A et B font abstraction de leur JE et parlent comme s'ils étaient « il », « elle » ou « eux ». Évidemment, aucune information spécifique concernant A ou B ne s'échange. De plus, les renseignements transmis entre A et B au sujet de C risquent de s'avérer entièrement faux, déformés ou mal compris, parce qu'ils ne sont pas C. Au pire, A et B peuvent en arriver respectivement à une perception de C susceptible d'influencer leur attitude par rapport à ce dernier *sans que celui-ci sache ce qui se passe.* Le danger réside ici dans le fait que A ou B ne réussit pas à établir une relation directe avec C ; d'autre part, on enlève à ce dernier toute possibilité de se faire valoir ou de se défendre.

Ce phénomène caractérise, par sa nature même, la vie de groupe (milieu familial, socio-culturel, professionnel, etc.). Tout le monde y parle de tout le monde (sauf de soi) sans interaction directe avec l'individu concerné.

En résumé, l'émetteur autonome utilise le Je quand il parle. Le récepteur autonome exige que l'échange qui lui a été adressé soit en termes de Je.

L'INCONGRUENCE

Le terme « incongruence » signifie que deux éléments ne s'accordent pas et, dans l'étude actuelle du JE parlant à un autre, il s'agit plus spécifiquement du verbal qui ne correspond pas au non-verbal. Couramment utilisée, cette façon de s'exprimer vise à minimiser l'impact d'un message ; c'est d'ailleurs le langage préféré des JE non autonomes, timides, dépendants, conciliants et apeurés. En voici quelques exemples :

« Tu sais, ce n'est pas gentil ce que tu fais là... » (avec un beau sourire, la tête à demi tournée vers l'autre) ;
« Je ne suis pas fâché/e ! » (avec le visage rouge, la voix tendue, les poings fermés) ;
« Tu es gentil... » (avec un rire sardonique) ;
« Ça ne me fait rien ! » (avec la bouche serrée) ;
« Je suis contente, mais... » (avec des yeux perçants, l'index pointant vers l'autre).

Celui qui écoute se voit alors confronté à deux messages contradictoires qui le jettent dans la confusion. Qui dit vrai ? Qu'est-ce qui est vrai ? L'individu se trouvant dans l'obligation de choisir entre les deux messages, deux choses peuvent survenir :

1. La personne demeure confuse, faute de pouvoir se tirer du paradoxe.

2. Elle s'accroche au message qui fait le mieux son affaire. Ce mécanisme, basé sur l'instinct de survie, s'accomplit inconsciemment ; l'individu capte le message *qu'il veut entendre,* pour mieux assurer son équilibre psychique. Il écarte le reste, parce qu'il ne peut pas composer avec la contradiction existant entre les deux messages.

Ainsi, lorsqu'un parent crie à son jeune enfant : « Je ne suis pas fâché ! », il accable ce dernier de confusion. Le parent est-il ou n'est-il pas mécontent ? L'enfant va-t-il croire les paroles ou écouter le non-verbal, ou se fier plutôt au non-verbal et laisser tomber les mots ? Le jeune est incapable de recevoir simultanément les deux messages.

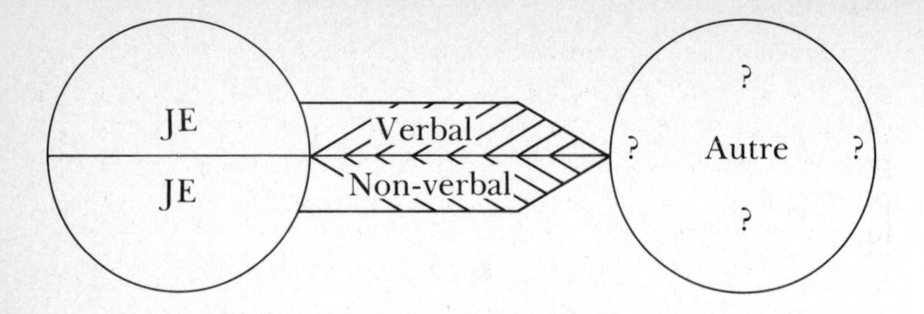

On en trouve un autre exemple lorsqu'une personne rencontre quelqu'un de ses proches et qu'à sa question « Comment vas-tu ? », l'autre répond que ça va bien alors qu'il est évident que ça va mal. Ce n'est toutefois pas avec tout le monde que le JE autonome choisit de partager son état d'être ; il y a une différence entre un commis de bureau à qui l'on a affaire et un ami intime. Cependant, avec les personnes avec qui l'individu choisit de partager ou non son malaise, la contradiction entre le verbal et le non-verbal ne devrait pas exister.

Les ravages occasionnés par une communication incongruente se révèlent très néfastes et les relations interpersonnelles s'en trouvent sérieusement affectées. Tout d'abord, celui qui s'exprime à deux niveaux différents n'arrive que rarement à être compris et satisfait ; de plus, celui qui écoute est souvent mal placé pour comprendre comment agir avec son interlocuteur.

Le JE autonome, quant à lui, s'avère toujours congruent. En d'autres mots, toute sa personne traduit ce qu'il exprime verbalement. Ainsi, un « Je suis heureuse ! » s'accompagne d'une voix heureuse, d'un visage heureux, de gestes heureux, etc. De même, un « Je suis déçu » (ou en colère, ou mécontent, etc.) s'exprime avec un non-verbal en accord avec les mots prononcés.

Quand, par ailleurs, le JE se sent incapable d'émettre un message congruent, il se tait jusqu'à ce qu'il soit en mesure de formuler des paroles en accord avec ce qu'il ressent. La congruence vient avec la pratique ; les comédiens connaissent l'avantage de pratiquer devant un miroir ou de répéter à haute voix.

Le récepteur autonome n'accepte pas l'incongruence. Quand il se voit confronté avec deux messages, il demande à son émetteur de préciser sa pensée.

LES PROJECTIONS

Si l'usage du « tu » se révèle dévastateur et si l'incongruence rend fou, l'usage des projections s'avère responsable de la plupart des fausses pistes et des innombrables heures perdues (mais requises) pour se démêler. Projeter revient à parler pour l'autre, comme si on savait ce qui se passe chez lui. En voici des exemples :

« Il est encore en retard : il doit être en train de jaser avec ses copains à la brasserie ! »

« Je ne t'ai pas demandé si tu m'accompagnais au gala ni si tu me prêtais la voiture parce que je pensais que tu ne voudrais pas. »

On peut également parler de manière à inviter l'autre à élaborer des projections :

« Après vingt ans de mariage, tu devrais le savoir ! »

« Ce n'est pas évident, non ? »

Parmi les multiples effets de l'emploi des projections, on distingue d'abord un manque de respect envers l'autre ; on brime et on écarte même carrément son privilège de parler pour lui-même. Celui qui projette démontre non seulement qu'il ne fait pas confiance à l'autre, mais aussi qu'il considère cette personne comme incapable de changer ou d'agir autrement.

Les projections, en elles-mêmes, sont banales. Leur danger réside toutefois dans le fait que celui qui projette *base ses actions futures sur ses projections.* Ainsi, dans le cas du premier exemple, la conviction qu'« Il est encore en retard, il doit être en train de jaser... à la brasserie » peut se solder par une attaque de l'individu dès qu'il rentre chez lui :

« Tu n'aurais pas pu m'appeler, non ? »

« Pourquoi faut-il que tu passes par la brasserie ? »

Ou bien, dans le deuxième cas, « Je ne t'ai pas demandé si tu m'accompagnais au gala ni si tu me prêtais la voiture, parce que je pensais que tu ne voudrais pas... », celui qui projette programme son comportement en fonction d'un NON présumé de la part de l'autre ; et celui qui se voit victime d'une projection est privé de renseignements relatifs à quelque chose qui le concerne personnellement.

Il en va de même des phrases qui invitent l'autre à projeter à son tour ; leur effet consiste à ajouter la confusion à la confusion.

Malgré leur pouvoir de brouiller la communication, il demeure relativement simple d'agir sur les projections. Dès que le JE s'aperçoit qu'il formule des phrases telles que « Je pensais que... », « Il/Elle doit être... », il peut être certain d'être en train de projeter. C'est à ce moment critique qu'il peut décider d'agir sur la projection ou d'intervenir en tant que JE autonome, en renversant le processus non fonctionnel par la vérification :

« Je n'aime pas que tu sois en retard : que se passe-t-il ? »
« J'étais inquiète ; où étais-tu ? »
« J'aimerais emprunter la voiture ; est-ce que je peux ? »
« J'ai l'impression que tu es inquiet ; que t'arrive-t-il ? »

Le JE autonome ne fait donc pas de projection et n'invite pas les autres à en élaborer. Il ne prend *jamais* non plus de décision basée sur une information projetée ; il vérifie toujours toute information qu'il n'apprend pas directement de la personne concernée et c'est après vérification seulement qu'il la considère comme fondée, c'est-à-dire qu'il croit l'autre. Ce n'est pas à lui de s'inquiéter de la manière dont l'autre va s'en tirer s'il est pris dans un mensonge.

LES GÉNÉRALISATIONS

Partir d'une situation spécifique et l'étendre à toute une personne ou à toute une vie constitue une généralisation. La généralisation se reconnaît facilement dans la communication verbale par l'usage des mots « toujours » et « jamais ». Les effets de la généralisation s'avèrent assez désagréables à tolérer, car ils agissent comme une pomme pourrie au milieu d'un baril de bonnes pommes, entraînant la pourriture de celles-ci :

« Chaque fois que je veux faire quelque chose, tu n'es jamais d'accord. »
« Tu fais toujours l'idiote aux cocktails. »

Les « jamais » et les « toujours » signifient que rien n'est bon chez une personne ou, pire encore, que ce qui a déjà été bon ne l'est plus ! L'emploi de ces deux mots traduit un très piètre sens de la discrimination des événements, des choses ou des personnes : tout se confond. En qualifiant ainsi les autres de complètement mauvais ou en remplaçant tout ce qui est bon par une partie « mauvaise », l'individu qui généralise ne peut connaître la richesse d'autrui, car il bloque par son jugement radical les avenues menant à la découverte d'autres qualités.

De l'autre côté, quelqu'un qui reçoit un message dirigé vers lui et contenant un « jamais » et un « toujours » se met sur ses gardes afin de ne pas « être emporté » par la nature définitive de ces dires.

LA NÉGATION

« Ça ne me fait rien ! »

« Je n'ai rien... »

Quel effort de la part de celui qui parle en dissimulant ses vrais sentiments, car il est impossible, de par la nature même de l'organisme, de ne rien ressentir en guise de réponse. La personne qui nie n'est pas forte ; elle n'a ni position ni opinion. Elle n'ose pas transmettre ses véritables sentiments et devient victime des autres autour d'elle. La négation est une fuite devant la réalité, suscitée par la peur d'être confronté avec une situation difficile. « Ça ne me fait rien » remplace la transmission des sentiments, au lieu de dire par exemple :

« Je ne veux pas ; je t'en veux parce que tu l'as organisé sans m'en parler auparavant. »

La personne voyant qu'elle risque de brusquer l'autre bat en retraite derrière la négation. Cependant, il vaut mieux ne rien dire dans ce cas plutôt que de refouler ses sentiments négatifs et d'induire l'autre dans l'erreur de penser :

« Nous, nous pouvons faire ce que nous voulons car, lui, ça ne lui fait rien ! »

De plus, la personne qui nie ses véritables émotions finit souvent par faire ou par subir beaucoup de choses qu'elle n'aime pas ou que, secrètement, *ELLE* aurait effectuées autrement.

Le JE autonome a toujours une opinion au sujet de ce qu'il aimerait ou n'aimerait pas.

JE = Aime, veux
N'aime pas, ne veux pas

Le JE autonome qui reçoit une négation peut souvent la reconnaître par l'incongruence entre le verbal et le non-verbal. Dans ce cas, il demande à la personne de lui désigner quel message il doit retenir comme authentique.

LES INTERRUPTIONS

Interrompre un autre, quand il parle, dérange sérieusement et contribue à rendre non fonctionnelle une communication. Il y a trois types d'interruption, mais ils ont en commun de trahir un grand manque de respect envers l'autre. Très courante est d'abord l'interruption où A parle et où B part, comme un cheval de course sur un mot qui, pour lui, constitue un stimulus ou un signal. B ne s'arrête que lorsqu'il a épuisé ce que ce terme a évoqué chez lui. À ce moment seulement, A pourra continuer son discours.

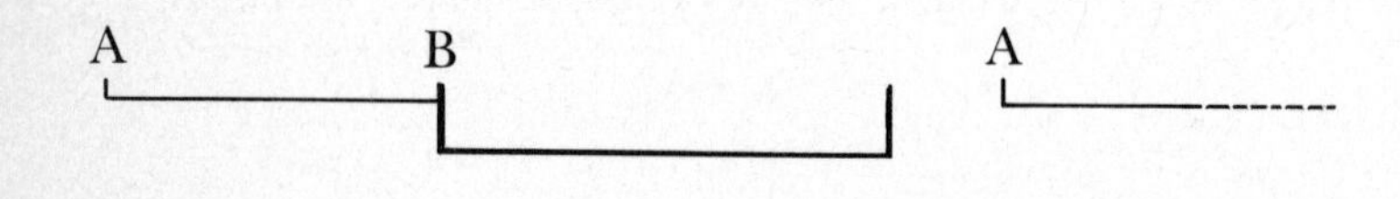

Un autre type d'interruption très répandu est celui où B coupe A, à sa première hésitation ou virgule, pour terminer la phrase de ce dernier. Cet arrêt particulièrement agaçant oblige A à dire « Non, ce n'est pas ça ! » et à s'expliciter avant même de compléter lui-même sa phrase. Si B interrompt à nouveau A lors de l'explication, une forme de « volley-ball » verbal ne tarde pas à s'installer :

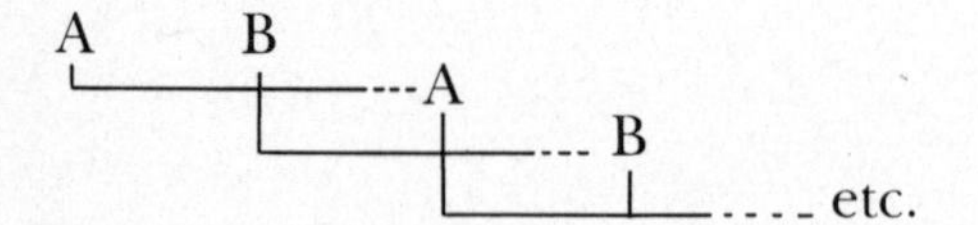

Et, finalement, il y a ceux qui interrompent spécifiquement pour véhiculer leur mépris, dans le but d'écraser l'autre. Dans ce cas, il s'avère douteux qu'une communication fonctionnelle puisse constituer une priorité pour celui qui arrête l'autre. Donc, le JE autonome n'interrompt pas et le JE autonome qui se fait interrompre transmet qu'il n'aime pas cela et qu'il ne veut plus que cela se produise.

LES SILENCES ET LES RIRES

Répondre par un silence ou par un rire quand une réponse verbale est attendue jette l'autre dans la confusion. La personne se comporte alors comme si elle avait livré un message ; le problème, à ce moment, est que celui qui écoute a le champ libre pour interpréter le silence ou le rire de l'autre comme bon lui semble. Cette pratique se révèle dangereuse étant donné que les chances que l'interlocuteur saisisse fidèlement ce que l'autre n'a pas dit (mais qu'il est sensé avoir dit !) s'avèrent très minces. De plus, le silence ou le rire activement choisi comme stratégie de communication prive l'autre de feed-back (rétroaction), le rendant ainsi impuissant à s'adapter au premier émetteur.

Lorsque le silence ou le rire traduit de la confusion ou une absence de position ferme par rapport à la discussion, la personne facilitera la communication en exprimant son état, au lieu de garder le silence ou de le remplir de rires ; ou encore, le récepteur pourrait demander à son copain silencieux ou rieur de dire ce que cela signifie.

LES MINIMISATIONS

Minimiser les autres, dans la communication, indique que l'individu ne voit le monde qui l'entoure qu'à travers le prisme de sa propre échelle de valeurs :

« Il n'y a rien là ! »

« Ne t'en fais pas pour si peu ! »

Loin de témoigner du respect envers l'autre, les minimisations enlèvent toute importance à ce que la personne ressent ou à ce qu'elle apporte. À la longue, un régime régulier de minimisations sème le doute chez la personne quant à ses propres perceptions et gruge inexorablement la structure de son JE en l'affaiblissant. À court terme, la relation entre deux personnes en souffre et la communication devient non fonctionnelle.

Pour éviter de minimiser, il s'agit de prendre *comme tel* ce que l'autre apporte sans jugement ni réduction de son importance, et la personne qui se fait minimiser n'a qu'à réaffirmer chez l'autre que ce qu'elle vit est important... pour elle !

LA TRIANGULATION

Comme son nom l'indique, la triangulation consiste en l'introduction d'un tiers (élément ou personne) lors d'une communication à deux dans le seul but de réduire la tension vécue par l'un des deux participants. En voici quelques exemples :

1° Aller parler à un voisin pour lui dire combien on n'aime pas les agissements de X au lieu de communiquer directement avec X, par peur d'un conflit ouvert ou par manque de conviction.

2° Faire part à un membre de la famille (A) de ce qu'on aimerait que son frère (B) fasse, en supposant que A laissera couler de l'information, au lieu de s'adresser directement à B.

3° Parler avec son mari de la conduite grossière de Mlle X la veille au soir, au lieu de lui dire directement qu'on n'a pas du tout aimé sa conduite *à lui* envers elle (ce qui eût été plus près de la vérité !).

4° Demander à quelqu'un de transmettre un message à un autre au lieu de le faire soi-même.

« Va dire à ton frère que je veux qu'il prenne son bain tout de suite ! »

« Tu peux lui dire que... »

« Dis-lui que je ne veux rien de tout ça ! »

« Veux-tu demander à Marie si elle viendra avec moi ? »

« Demande-lui donc ce qu'il veut. »

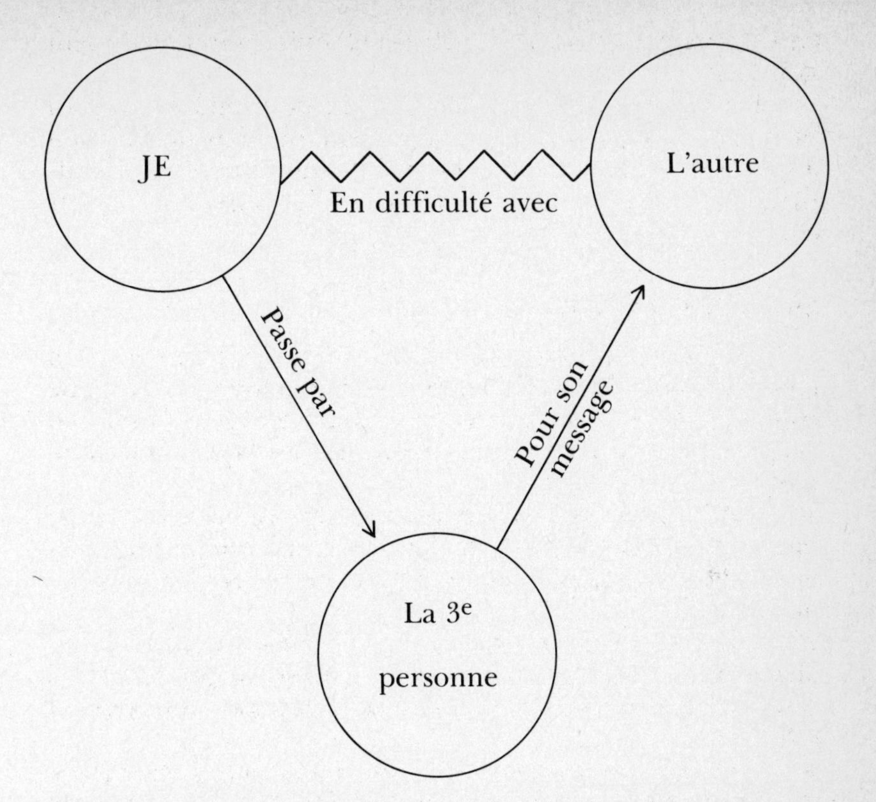

Cette pratique rend la communication non fonctionnelle parce que la ligne de communication n'est pas directe, ce qui permet un trop grand risque de distorsion ainsi que la tentation d'agir par projection. De plus, la personne qui initie la triangulation n'a aucunement résolu son conflit premier avec l'autre ; en d'autres mots, elle accumule du linge sale qui sera appelé à être lavé un jour... Détrianguler consistera à faire *soi-même* affaire *directement* et *toujours* avec la personne concernée :

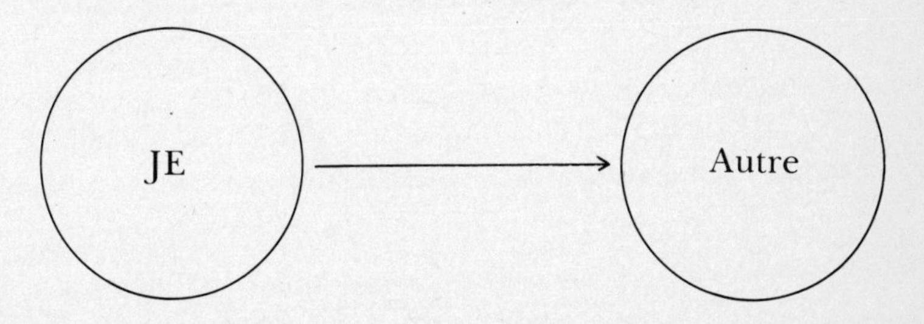

L'idéal est d'apprendre à ne pas être triangulé, à ne pas devenir le tierce élément dans un conflit ou une difficulté vécue par deux autres personnes. Une situation de triangulation pourrait se présenter comme ceci :

Une personne n'a pas une relation satisfaisante avec sa bru ; cependant, elle aimerait beaucoup planter de la rhubarbe dans le jardin de cette dernière, étant donné qu'elle ne dispose pas d'un jardin elle-même. Lors d'une conversation avec son fils et sa bru, elle demande à son fils s'il ne planterait pas la rhubarbe (dans le jardin de sa bru, naturellement !).

Ainsi, en passant par lui, elle trouve à soulager le stress engendré par les deux composantes du triangle : son besoin d'avoir de la rhubarbe contre le fait que sa bru n'aimerait pas qu'elle la plante dans son jardin.

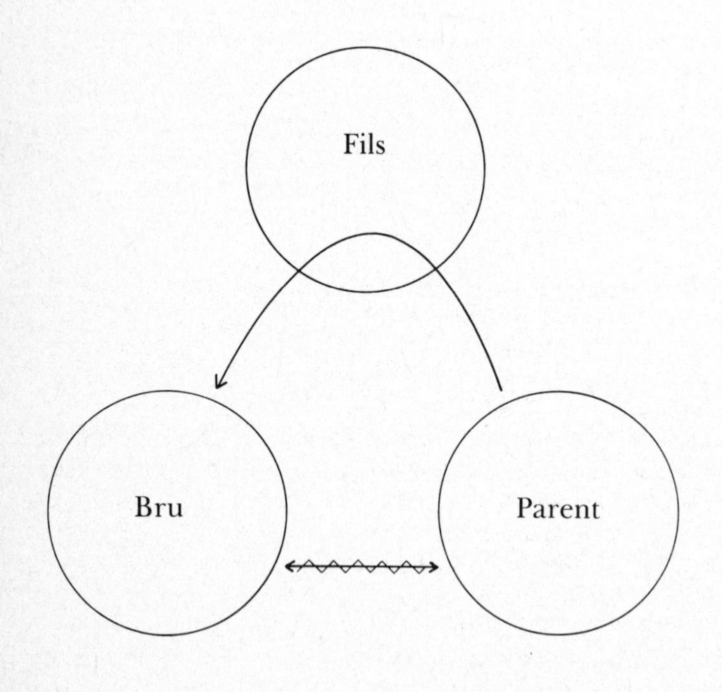

Un autre exemple de triangulation :

A vient parler à B de ses inquiétudes quant aux agissements de son père. Il semblerait qu'il veuille se remarier. A n'aime pas cela, son héritage est en jeu. B finit par offrir d'aller parler avec le père, soulageant ainsi le « stress » entre père et fils par sa participation dans le triangle.

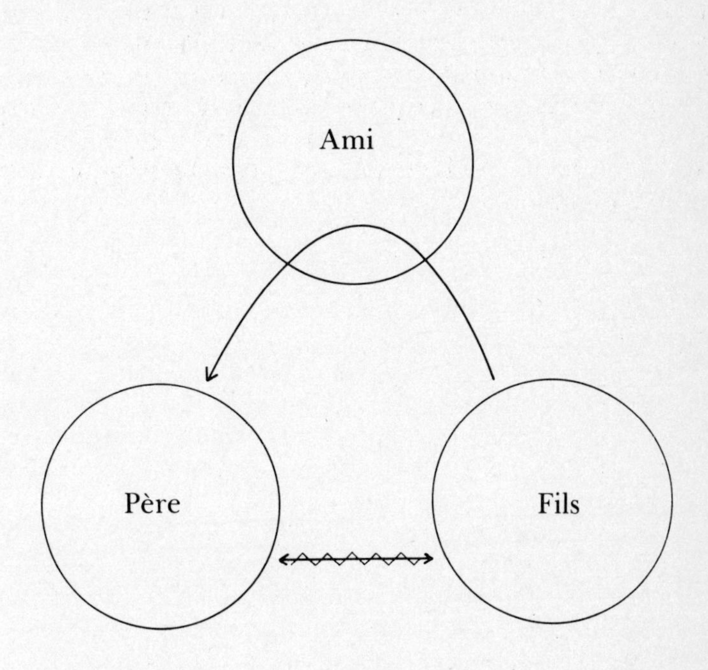

Donc, refuser d'être triangulé consistera *à retourner à son auteur* le stress qu'il veut bien transposer sur vos épaules. Par exemple, dans la situation à deux, implicite dans les plaintes de A est le message :

« Qu'est-ce que *tu* peux faire pour moi ? »

B répond plutôt :

« Qu'est-ce que *tu* vas faire avec cela ? »

La balle est donc retournée dans le camp de A, de même que sa propre responsabilité quant à son bonheur. Quand les trois personnes sont en présence, le fils refuse « l'appât » de tomber dans le piège tendu. Il répond :

« J'aimerais mieux que tu demandes à ... ; c'est son jardin. »

AUTRES COMMUNICATIONS ABERRANTES

En plus des facteurs précédemment énumérés, d'autres comportements peuvent contribuer à rendre une communication non fonctionnelle. Les phrases *incomplètes* laissent d'abord l'autre dans le doute quant à ce que la personne veut dire, en plus de lui servir de véritable invitation à les compléter lui-même.

« Si je pouvais... »

« Je me demande si... »

On trouve, d'autre part, l'usage de la phrase *indirecte*, comme :

« Je dois tout faire ici ! »

« Il commence à être temps que quelqu'un voie à ce désordre ! »

Malgré le fait que des phrases de ce genre suscitent souvent des remous chez les auditeurs si le message n'est ni complété, ni précisé, la communication n'en demeure pas moins brouillée.

Les murmures prononcés derrière un journal, au-dessus du plat de vaisselle, en quittant une pièce, etc., constituent quant à eux des phrases *vagues*. Ces dernières risquent de ne pas atteindre l'autre ; elles sont souvent même utilisées afin d'éviter une confrontation ou une affirmation de soi.

Enfin, le « Personne ne m'aime ici... » s'avère un type de phrase qu'on pourrait qualifier *d'ambiguë*. Comme dans les autres phrases, le message est obscur par manque de spécificité, constituant donc une communication non fonctionnelle.

LA COMMUNICATION DU JE AUTONOME

Si ce qui précède illustre les techniques de communication de l'individu non autonome, quelles sont donc les caractéristiques d'un message provenant d'une personne autonome ?

Nous avons déjà vu que les actes autonomes se discernent par l'attitude du JE. C'est lui qui définit sa frustration, qui établit un choix, qui prend une décision, qui se fixe un but et qui actualise celui-ci par des moyens appropriés. C'est également le JE qui tient compte de nouvelles informations, qui s'ajuste, qui modifie au besoin, qui relance son action. Dans la communication autonome, c'est également le JE qui prédomine :

La personne autonome s'exprime en termes de Je.

Parler en termes de Je présuppose que l'individu sait ce qu'il veut ou ce qu'il ne veut pas. En effet, l'expression du JE autonome se résume beaucoup plus facilement que celle de l'individu non autonome. Elle tient dans :

« Je veux... »
« J'aime... »
« Je ne veux pas... »
« Je n'aime pas... »

Au contraire, l'expression de la personne non autonome s'avère parfois très longue pour en dire très peu.

Ce niveau de spécificité s'accomplit par un travail sur soi et par soi. La personne définit alors ses besoins et identifie les sentiments qui l'accompagnent. Le JE qui n'a pas effectué cette première étape ne saurait s'exprimer aisément, d'une manière personnelle et autonome avec d'autres ; il ne possède pas non plus de pouvoir pour agir efficacement.

Par l'expression personnelle du JE, trois phénomènes additionnels se produisent :

1° L'individu se situe par rapport à autrui, ce qui permet aux autres de savoir où il en est. Ainsi, « J'ai faim ! » ou « J'ai soif ! » s'oppose directement à « Il n'y a rien à manger ni à boire ici ! » ou à « Tu n'as jamais rien dans le réfrigérateur ! » (ces dernières formulations ne révélant rien quant au JE qui parle et prétendant en dire beaucoup au sujet de celui qui écoute). D'autre part, « Je veux... », « Je ne veux pas... », « J'aime... » et « Je n'aime pas... » n'ont pas la même connotation que « Tu dois... » et « Tu devrais... ».

2° La personne *assume ce qu'elle ressent,* par des messages comme :

« Je suis content/e. »
« J'ai du chagrin. »
« Je suis fatigué/e. »
« J'enrage ! »
« Je suis déçu/e. »

Ces phrases se différencient beaucoup de :

« Tu me fatigues ! »
« Tu me mets toujours des bâtons dans les roues. »
« Tu ne sais pas combien tu m'énerves ! »

Assumer et transmettre ce qu'on ressent représente, de loin, l'aspect que la plupart des gens trouvent le plus difficile dans la communication. L'importance du JE exprimant ses besoins a été élaborée lorsque nous avons examiné la prise de décision et les sentiments : l'importance de cette expression sera soulignée davantage lors de la négociation.

3° La personne *assume la responsabilité* des actes qui suivent ses messages :

« Je sors. »
« Je vais étudier. »
« Je m'en occuperai. »
« Je téléphonerai. »

Ces énoncés constituent autant d'engagements à être responsable, à s'impliquer, à fournir de l'énergie, ce qui n'est pas du tout inhérent à l'usage des autres pronoms. De plus, la personne qui s'exprime ainsi épargne aux autres le sentiment d'être responsables de son bien-être, tandis que cette attente est implicite dans des messages comme :

« Comment se fait-il que tu ne m'amènes nulle part, ces temps-ci ? »
« Chaque fois que je veux faire quelque chose, tu ne veux pas ! »
« Téléphone ! »
« Si je pouvais donc étudier... »

En résumé, le JE autonome s'exprime toujours en termes de Je ; d'autre part, il assume consciemment, comme lui appartenant, les sentiments qui accompagnent ses paroles. Il se rend responsable de ce qu'il dit en plus de se charger des conséquences de ses énoncés.

De plus, l'individu autonome s'oppose aux messages envoyés à deux niveaux différents, en prenant soin d'harmoniser le verbal avec le non-verbal. Par ailleurs, il clarifie, qualifie et spécifie souvent un message au lieu de généraliser ou de projeter. Et, finalement, il se montre réceptif au feedback (rétroaction) ; quand il s'en trouve privé par une communication non fonctionnelle de la part de l'autre, il vérifie et clarifie.

Bref, la manière de communiquer reflète le respect que la personne entretient envers elle-même et envers l'autre. Plus la communication est autonome, plus elle s'avère respectueuse et, inversement, moins elle se révèle autonome, moins elle respecte l'autre.

La négociation entre deux JE

Nous avons vu, jusqu'à présent, comment la force du JE peut se développer et nous avons constaté son pouvoir de toujours effectuer un choix. Nous avons également examiné de quelle manière le JE autonome s'exprime afin de transmettre adéquatement ses besoins et ses sentiments. Il reste maintenant au JE à apprendre à négocier la satisfaction de ses besoins avec un autre JE afin d'en arriver à une position de bénéfices mutuels :

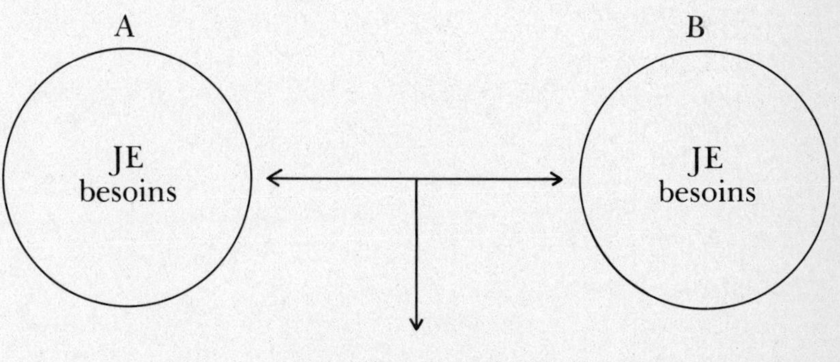

Bénéfices mutuels

Il existe deux motifs qui poussent le JE à interagir avec un autre : *s'affirmer* auprès de ce dernier ou *se défendre* contre celui-ci. Quand il s'affirme, le JE transmet ce qu'il aime et ce qu'il veut, alors que s'il se défend, il exprime ce qu'il ne veut pas ou n'aime pas.

Négocier constitue un acte volontaire ; les deux parties doivent vouloir négocier ou être disposées à négocier pour être capables d'y parvenir. Sans cette condition de base, négocier ses besoins avec les besoins d'un autre s'avère futile.

Idéalement, la négociation s'effectue entre deux JE autonomes, c'est-à-dire que la capacité de chacun d'extérioriser une affirmation ou une défense est hautement développée et quasi égale. Cette situation idéale n'est cependant pas toujours le cas pour la plupart des gens. Nous ne sommes pas autonomes vis-à-vis de toutes choses de manière toujours égale en tout temps ; il y a des domaines où nous ne sommes pas capables d'exercer notre autonomie aussi bien que dans d'autres secteurs. Même, il existe des situations où la négociation risque d'échouer à tout coup : avec les enfants, avec toute personne chez qui la maturité émotionnelle n'est pas développée, avec les personnes où une forte charge émotionnelle, positive, ou négative, entre en jeu.

Il reste que la personne autonome, habile à s'affirmer et à se défendre, constitue un élément de poids dans la réussite éventuelle d'une négociation. De plus, sa perception claire d'elle-même facilite son évaluation du niveau d'autonomie de l'autre partie en cause, c'est-à-dire lui permet de déterminer rapidement à quel point l'autre est en mesure de s'affirmer ou de se défendre. Cette aptitude permet au JE autonome de rompre une négociation qui, faute de *deux* JE autonomes, risque de dégénérer en querelle ou en lutte pour le pouvoir.

LES TROIS POSITIONS DU JE

Le JE qui désire négocier se voit obligé de prendre position. On a déjà démontré antérieurement que le JE divisé par l'ambivalence ne peut s'assurer du succès de ce qu'il entreprend. De là provient la nécessité, pour la personne, de savoir si elle veut ou ne veut pas, aime ou n'aime pas telle ou telle chose.

En premier lieu, la position OUI découle d'un JE qui veut et qui aime. Quand l'individu abordé par celui qui veut négocier répond « oui » à ses besoins, la négociation s'avère facile, car la contestation est absente. Il va sans dire que le « oui » exprime ici une congruence entre le verbal et le non-verbal. Dans ce cas, chaque JE répond à son propre besoin et les deux s'en trouvent satisfaits. En voici un exemple :

« *J'aimerais* que tu m'accompagnes. »

« Oui, *j'aimerais* y aller. »

La deuxième position, celle du NON, provient d'un JE qui ne veut pas ou n'aime pas. À l'annonce du NON, la négociation s'ouvre, prête à être poursuivie. Elle pourra se continuer aisément *à la condition* que le NON soit toujours suivi d'une autre alternative. Par exemple, A dit : « J'aimerais que tu m'accompagnes ce soir. » B lui répond : « Non, c'est impossible pour moi ; mais je pourrais t'accompagner demain soir. »

Donc :

NON Mais...

Cette réponse constitue une ouverture pour continuer la négociation tandis qu'un NON seul ferme la porte à toute possibilité sauf à une : celle que A vérifie auprès de B ses chances de rétablir la négociation. Par exemple, B répond non à l'interrogation de A et ce dernier demande à B : « Qu'est-ce que tu aimerais ? » ou « Qu'est-ce que tu me suggères ? ».

Enfin, la plupart des gens connaissent peu la position « Je ne sais pas » ; sa valeur comme point de départ est sous-estimée, peu comprise et, par conséquent, utilisée de façon inefficace. Car le « Je ne sais pas » s'avère une position très définie et peut être employée comme telle. Un JE qui « ne sait pas » et qui le transmet à l'autre permet à la négociation de continuer, *à la condition* que l'individu informe l'autre du *moment* où ce dernier pourra s'attendre à recevoir un OUI ou un NON et *qu'il tienne parole*. En voici quelques exemples :

1° A.— J'aimerais que tu m'accompagnes...

B.— Je ne sais pas, mais je pourrai te donner une réponse vers seize heures. (Je réponds à mon besoin de me garder du temps pour vérifier si oui ou non je veux l'accompagner, car je me souviens que la dernière fois ce fut un fiasco.)

2° A.— Maman, je veux avoir un appareil stéréo pour mon anniversaire !

B.— J'en discute avec ton père et je te rends une réponse la semaine prochaine. (J'ai besoin de clarifier si je suis d'accord ou non, si mon mari veut ou ne veut pas, et si nous pouvons nous permettre cette dépense en ce moment.)

3° A.— « Papa ! Papa ! Marc et son grand frère vont construire une maison dans un arbre à leur chalet. Je peux y aller papa ? Je peux ?

B.— Je vais m'informer et je te répondrai demain matin, au petit déjeuner. (Je réponds à mon besoin de m'assurer que les enfants seront sous surveillance, que la situation est sécuritaire, etc.)

Être capable d'occuper l'une de ces trois positions du JE s'avère essentiel à toute négociation verbale de l'ordre de l'affirmation de soi ou de l'échange des besoins réciproques (« J'aimerais... ») tels que nous venons de voir. Mais il existe aussi un autre niveau de négociation qui provient des gestes (le non-verbal) ou des paroles que l'autre perçoit comme une blessure ou une agression. Bref, il y a quelque chose *qu'il n'aime pas*. Par exemple :

« Mon mari ne m'écoute pas quand je parle ! »

« Ma femme a conclu des arrangements sans me consulter. »

« Luc laisse traîner ses vêtements partout. »

« Stéphanie m'a donné un coup de pied. »

« Elle m'interrompt à chaque fois que je parle... »

« Il chuchote avec son voisin durant mon rapport verbal. »

La caractéristique commune à tous ces exemples révèle que le JE n'aime pas quelque chose ; celui-ci est donc appelé à se défendre contre ce qu'il n'apprécie pas. La défense de soi s'avère plus efficace quand elle se produit sur-le-champ, contrairement à l'affirmation de soi qui se réalise au moment où on le choisit. Se défendre immédiatement requiert cependant un niveau élevé de développement personnel, de connaissance de soi, de ses besoins et de ses sentiments ainsi que la capacité de prendre rapidement position et de l'exprimer. En attendant d'en arriver à cette habileté par la pratique, la défense du JE doit toujours s'effectuer auprès de gens avec qui on se trouve fréquemment en contact. Par conséquent, que le livreur de bois boude un client ne nécessite pas d'intervention de la part de ce dernier, car le jeu n'en vaut pas la chandelle. Mais si le JE se sent agressé par son conjoint, son père, sa mère ou son enfant, il a alors intérêt à investir sur le plan émotionnel afin de négocier, car ses chances d'être appelé à se défendre fréquemment sont élevées.

Toutefois, en quoi consiste la défense de soi dans une négociation ? Celui qui se sent mal livre tout d'abord à l'autre *ce qu'il n'aime pas spécifiquement,* en débutant sa phrase par le mot QUAND. Ainsi, il pourra dire : « Quand tu conclus des arrangements sans me consulter, je n'aime pas cela. » Dans un deuxième temps, l'individu communique *le(s) sentiment(s)* que cet acte engendre chez lui : « Je me sens écartée » (déçue, en colère, rejetée, humiliée, etc.). Et, troisièmement, la personne exprime *ce qu'elle aimerait :* « J'aimerais qu'à l'avenir tu m'en parles avant de compléter des ententes. »

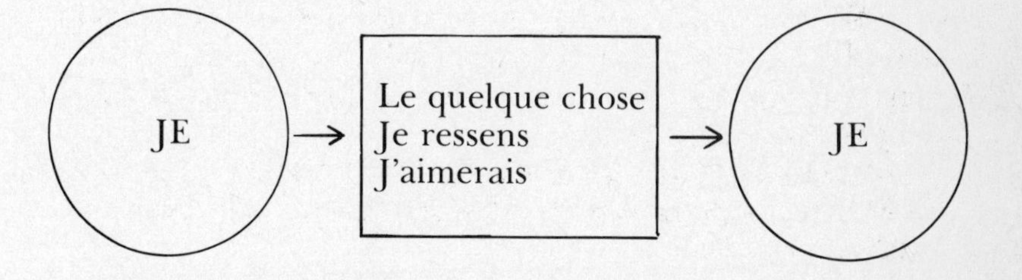

Ces trois informations se révèlent infiniment précieuses, tout d'abord pour celui qui les émet : il se trouve à amorcer sa défense d'une façon claire et personnelle, couvrant toutes les aires ; et, ensuite, pour celui qui les reçoit : ce dernier y voit une possibilité inouïe d'obtenir des renseignements authentiques et personnels concernant l'autre ; cela lui sera utile s'il choisit de modifier son attitude ou son action.

Les individus qui prennent ces informations comme un affront personnel, plutôt que comme une occasion de feed-back nécessaire à la modification du comportement, témoignent d'un bas niveau d'autonomie. D'ailleurs, une relation ne peut être qualifiée de satisfaisante, ni tendre vers l'harmonie sans feed-back. Car la personne soucieuse de feed-back apprend ainsi l'impact de ses actes sur les autres, ce qui lui permet de se réajuster constamment avec davantage de chances de succès ; elle découvre ainsi comment témoigner aux autres le respect dont elle souhaite elle-même être l'objet.

LES EMPÊCHEMENTS À LA NÉGOCIATION

La négociation interpersonnelle constitue un art ; tenir compte des facteurs qui nuisent à sa réalisation revient donc à développer cet art.

Ne pas commencer ce qu'on ne peut pas finir

Ne pas commencer ce qu'on ne peut pas finir : quel sage conseil ! Combien de fausses pistes seraient évitées si cette règle était suivie ! Quand la position du JE n'est pas définie, qu'elle est à la fois OUI et NON, « je veux » et « je ne veux pas », adopter le *Je ne sais pas* place la personne en situation de force, car *elle s'accorde le temps* d'établir fermement son OUI ou son NON ; elle ne se bouscule jamais, elle prend le temps qu'il lui faut.

Dans les cas où le JE se défend et désire négocier avec l'autre en utilisant les formules déjà décrites *(Le problème... Je ressens... J'aimerais...)*, il ne s'y adonne que lorsqu'il se sent capable d'émettre les *trois énoncés :* la moitié ne suffit pas à une négociation adéquate. On peut hésiter à parler en songeant : « Mais j'ai peur de lui dire tout cela ! Qu'est-ce qu'il va penser de moi ? » Ne pas s'exprimer par crainte de la réaction de l'autre contribue à la détérioration éventuelle d'une relation symétrique et à la perte de confiance en l'autre.

On peut aussi penser : « Mais je ne serai jamais capable de faire ça, moi ! Or, tout art se perfectionne par la pratique. Devant la peur d'échouer par manque d'habileté, il suffit de se bâtir mentalement un scénario où la personne s'imagine en train de défendre son JE et de dire ces mots à haute voix. Beaucoup de bouches et de langues, longtemps habituées à avaler les coups, s'avèrent malhabiles dans leurs premiers efforts pour se défendre... La répétition devant le miroir ou seul, à haute voix, aide beaucoup de JE en croissance à apprendre à s'exprimer. Les artistes de théâtre connaissent et utilisent cette pratique à satiété.

La position corporelle

Toute situation corporelle autre que le face à face réduit les chances de succès d'une négociation. Un art aussi raffiné que la négociation se pratique difficilement en criant d'une pièce à l'autre, dos à épaule, derrière un journal, en effectuant autre chose à la fois, etc. La position côte à côte ou en L se prête aisément aux débutants ; ces positions réduisent la quantité d'informations non verbales reçues, ce qui distrait souvent le novice de sa tâche ardue de s'exprimer clairement. Quand il a suffisamment confiance en lui, il devrait toutefois revenir au face à face, car c'est la position qui donne le plus d'informations dans le plus court laps de temps.

La négociation par l'osmose

Comme toute entreprise concernant deux individus, la négociation ne peut s'effectuer si elle n'existe que dans la tête d'une seule personne :

« L'affaire est réglée : j'ai pris position. » (Mais il ne l'a pas dit à l'autre...)

« Je pensais que tu savais : pour moi, c'est clair ! »

« Voyons, tu dois me connaître maintenant ! »

Loin d'être laissée au hasard, la négociation constitue une réalité active d'expression réciproque.

La litanie des raisons

Parmi les empêchements à la négociation, le plus commun consiste dans l'étalage de toutes les raisons susceptibles de convaincre l'autre de la validité de ses besoins. Malgré la splendeur du discours et l'éblouissement que cela peut susciter chez l'autre, énumérer un ensemble de « parce que » produit des effets souvent opposés à ceux qu'on recherchait.

Tout d'abord, la complexité et l'intensité de toutes ces raisons distraient l'autre d'un fait important en soi : le fait que *le JE veut*. Cette seule volonté suffit, si on accepte l'importance du JE ; toute autre justification s'avère superflue. En deuxième lieu, un nouveau paradoxe peut apparaître : les « parce que » invoqués peuvent devenir, aux mains de celui qui adopte la position de NON fermé, les armes qu'il pourra employer contre l'autre pour le minimiser, l'humilier, le torturer, le faire languir, l'opprimer, etc. Bref, plus on expose les raisons de ses besoins, plus on allonge la corde pour se pendre... Il est préférable de ne pas livrer les motifs de ses besoins, sauf lorsqu'on choisit de les partager moins pour convaincre l'autre que pour se faire connaître davantage.

D'ailleurs, une longue litanie de raisons pourrait refléter le besoin qu'a la personne de *se convaincre elle-même.* Dans pareil cas, le JE doit arrêter de négocier, car il n'a pas fait sa propre démarche intérieure afin de savoir de *quoi* il est convaincu : « Je veux ou je ne veux pas ? »

Sonder les réactions

Il arrive souvent que les gens confondent la négociation avec une approche « conditionnelle » caractérisée par des formulations commençant par SI :

« Si je fais..., qu'est-ce que tu diras (penseras, feras) ? »
« Si tu étais moi... »
« Si tu fais..., je ferai... »
« Si tu ne ... pas ..., je ne ... pas. »

Ces incursions visent à sonder la réaction de l'autre *avant de prendre position* ou, pire encore, à se munir d'une garantie quant à l'impact de son action chez l'autre *avant d'agir.* À l'extrême, cette démarche revient ni plus ni moins à chercher l'approbation de l'autre et à lui plaire à tout prix, deux caractéristiques du JE non autonome. L'acte de négocier n'est jamais précédé d'un SI, car le SI ne constitue pas une position de force. La personne prend d'abord position et la négocie.

Les jugements

L'introduction de jugements (bon/mauvais, correct/incorrect, etc.) dans une négociation nuit sérieusement aux chances de succès de cette dernière. Un jugement contredit la prémisse de base de l'échange : le JE est unique et important, autant le mien que le tien. Les critiques entraînent même l'effet néfaste de piquer l'autre et de l'obliger à prendre la défensive, ce qui peut mener loin du sujet initial de la négociation. Ce phénomène s'appelle l'escalade ; vous avez commencé à négocier l'emplacement du framboisier dans la cour et vous voilà en train de vous crier ce que vous avez sur le cœur depuis des années, ce que vous pensez de la famille de votre conjoint et, pour finir en gloire, vous l'envoyez vous savez où...

Le moment et le lieu propices

Le succès d'une négociation dépend en partie du moment et du lieu où elle se déroule ; ces conditions doivent être choisies dans le but d'assurer les meilleurs résultats possible. Là où l'individu reconnaît immédiatement ce qu'il veut ou aime (ou ce qu'il ne veut pas ou n'aime pas), la négociation peut être abordée sur-le-champ. Quand la personne n'est pas certaine de ses positions et qu'elle doit opter pour un autre moment, il importe que ce temps soit le meilleur moment imaginable et qu'il soit choisi avec soin. Ceci ne veut pas dire que le discours doive changer ; un simple « je veux ou je ne veux pas » n'est pas amélioré en y ajoutant du verbiage. Choisir le moment implique une absence d'interruptions ou de bruits parasites qui peuvent être distrayants.

L'irrévocabilité des positions

Aussi longtemps qu'une personne maintient la conviction que toutes les décisions ou prises de position sont immuables, la négociation ne peut se produire. C'est ce qui arrive lorsqu'on déclare, par exemple :

« Mais *tu* as déjà dit que... »

« Je suis sûr que *tu* ne ferais pas... »

« Mais *nous* nous sommes entendus pour... »

Ces phrases indiquent que ce qui a été décidé auparavant l'est... à tout jamais ! Ce point de vue empêche toute possibilité de réajustement, de modification ou de relance. Tenir mordicus à une décision témoigne de l'étroitesse d'esprit et de l'insécurité. Dans les cas cités, le tu et le nous sont utilisés, ce qui suffit à nous mettre en garde ; attention de ne pas confondre cet énoncé avec la conviction du JE autonome, qui s'exprime par des « je veux... », « j'aimerais... », « je ne veux pas... », « je n'aime pas... ».

La plupart des gens méprisent le fait de changer d'idée ; implicite dans cette méprise est la supposition que la dernière décision prise était mauvaise et que la personne qui l'a initiée a failli à sa tâche. Ces jugements chassent tout respect envers l'autre ainsi que la possibilité de considérer que ce que l'individu a fait, au moment où il l'a fait, était la meilleure façon possible de tirer son épingle du jeu, avec ce qu'il avait à sa disposition, en accord avec ses valeurs et ses priorités.

L'analyse de l'échec et le feed-back dans la communication nous renseignent sur l'importance fondamentale, dans le développement de l'autonomie, de tenir compte de toute nouvelle information qui nous arrive, et ce, en regard de nos décisions ou prises de position antérieures. Ce phénomène permet au JE d'établir une nouvelle décision, adaptée *à la réalité présente,* mais qui ne nie aucunement la valeur de celle qui l'a précédée. *Toute décision du JE est valable.* Ce qu'il fait avec la rétroaction et de nouveaux renseignements révèle son niveau d'autonomie et d'adaptabilité.

On voit à l'œuvre un JE autonome lorsque quelqu'un qui *a décidé de rester à souper* chez des amis et qui, après avoir reçu un téléphone l'informant que son enfant est malade, *choisit de ne plus rester* pour le repas. Il en est de même lorsque, *ayant décidé* de partir en voyage un vendredi, une personne *décide de retarder* son départ au samedi après en avoir discuté avec son conjoint, à qui ne convient pas le départ de l'autre le vendredi. Dans un autre cas, un individu décide de s'inscrire au cégep puis, en consultant le programme des cours, s'aperçoit que le secondaire V est prérequis à son entrée au cégep ; il opte alors pour compléter maintenant son secondaire V et pour fréquenter le cégep l'an prochain. Ou encore, un père décide d'emmener ses enfants au théâtre, puis un mal de tête vient l'accabler ; il choisit de ne plus effectuer cette sortie, mais de se faire remplacer, auprès des jeunes, par quelqu'un d'autre. Enfin, voici un exemple très simple de changement de décision autonome ; j'ai froid, je mets un chandail ; il commence à faire plus chaud, je l'enlève.

En résumé, prendre une décision, puis une autre, puis une autre, ne démontre pas de la faiblesse mais indique, au contraire, la force du JE qui, devant de nouvelles informations, prouve encore une fois son immense pouvoir de composer avec son milieu.

La confrontation des valeurs

Chacun de nous possède une échelle de valeurs formée de ce qui est le plus important, le plus urgent, le plus beau, le plus agréable, le plus correct et le plus juste pour lui. Cette échelle constitue la somme de toutes les influences majeures de notre vie : famille, société, religion, éducation et expériences bâties à travers le temps. Sa forme caractéristique se définit lors de la tendre enfance et de l'adolescence, et s'enracine profondément dans notre comportement.

On se souvient qu'on a reconnu, dès le début, l'aspect unique de chaque JE ; il va sans dire qu'une échelle de valeurs s'avère également très personnelle. Plus précisément, aucune personne n'a exactement les mêmes valeurs qu'une autre, ni à l'intérieur d'une même famille, ni au sein d'une même société. De plus, chez une même personne, les valeurs ne sont pas statiques ; elles varient en intensité et en importance, selon la situation ou le contexte. Par exemple, quelqu'un peut ne pas se montrer raciste lors d'une blague et, par contre, adopter une position fortement raciste lors d'une manifestation sociale. Ou encore, quelqu'un qui n'accordait pas d'importance à certaines valeurs pourra s'y accrocher ardemment lors d'une mortalité ou d'une longue maladie.

Quelles que soient les caractéristiques qui différencient les diverses échelles de valeurs, ces dernières possèdent un point commun : elles sont toutes férocement défendues par l'individu. Il se peut que celui-ci ignore d'où viennent ces valeurs et pourquoi il les véhicule, mais leur profond enracinement dans sa personnalité le pousse à les défendre comme la prunelle de ses yeux presque automatiquement. La différence entre une valeur et une conviction consiste en ce que cette dernière provient d'une démarche consciente, impliquant peu d'éléments, tandis qu'une valeur découle d'un processus souvent inconscient, comportant plusieurs facteurs et élaboré durant une longue période de temps.

Dans les relations interpersonnelles, il arrive très souvent que le JE se voie confronté aux valeurs des autres ou qu'il soit appelé à défendre les siennes. Plus la relation se révèle intime et importante dans la vie du JE (conjoint, parent, enfant, patron, etc.), plus cette confrontation s'avère aiguë et douloureuse.

LES BÉLIERS

Qu'arrive-t-il lors de la mise en présence des valeurs de deux JE ?

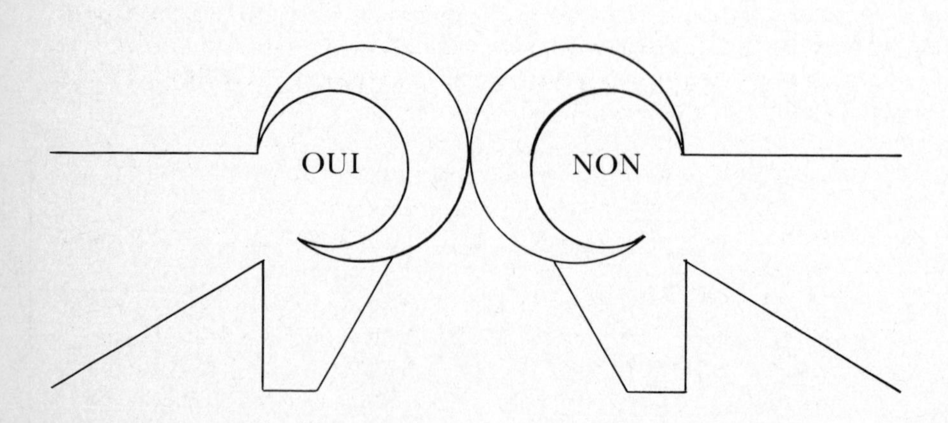

Il s'agit, comme l'illustration l'indique, de l'affrontement d'un oui et d'un non ; cette situation se caractérise par l'argumentation de part et d'autre. La forme en est très simple : A annonce sa position et toutes les raisons qui la justifient ; B enchaîne avec un « oui, non, mais... » suivi de sa propre position et de ses justifications. A répond à son tour avec un « oui, non, mais... ». L'utilisation du Je disparaît, on emploie le « tu » pour juger de l'argumentation de l'autre et les répliques continuent, à tour de rôle, jusqu'à l'épuisement des arguments ou, plus couramment, jusqu'à une escalade se terminant avec des généralisations, des menaces, des jugements et des insultes. La confrontation s'installe dès que le Je tombe et que le tu entre dans la communication ; elle aurait pu tourner en négociation si on avait maintenu l'emploi du Je.

Voyons un exemple d'une telle confrontation :

Parent 1.— J'ai dit à Jeanne qu'elle pourra aller au chalet de Diane pour la fin de semaine.

Parent 2.— Comment ? Mais elles seront seules et, tu sais, elles n'ont pas de moyen de transport autre que l'auto-stop.

Parent 1.— Oui, mais tu es tellement rigide ! Tu sais, il faut que Jeanne apprenne éventuellement à se débrouiller toute seule à un moment donné. Tu ne peux pas toujours garder ta fille seulement pour toi !

Parent 2.— Quoi ! Rigide ! Toi, tu es trop tolérant/e !

Parent 1.— Mais voyons ! Si tu ne lui permets jamais rien, tu peux t'attendre à ce qu'elle se révolte un jour...

Parent 2.— Comme tu as fait, hein ? Mais laisse-moi te dire que ma fille ne passera pas la fin de semaine seule, dans le bois, en y allant en auto-stop par-dessus le marché ! Va lui dire que son projet est contremandé.

Parent 1.— Va le lui dire toi-même, espèce de sans-cœur ! Ce n'est pas moi qui vais briser son plaisir. Tu ne veux jamais que quelqu'un ait du plaisir dans cette maison !

Parent 2.— Tu t'arranges pour qu'elle annule tout ça ou tu vas voir ce qui va arriver ! »

La confrontation s'avère particulièrement difficile à désamorcer à cause de son immense charge émotionnelle, mais il ne s'agit pas d'une tâche impossible si certaines prémisses sont respectées. Pour commencer, comment peut-on reconnaître qu'on est engagé dans une confrontation de valeurs ? Nous avons déjà vu que le signal d'alarme est lancé avec l'expression « oui, non, mais... » ; par conséquent, à chaque fois qu'on se retrouve avec ces mots à la bouche, on est déjà en panne... Cette dernière se reconnaît également à l'utilisation du pronom tu, des verbes falloir et devoir ainsi que des si ; cet usage s'accompagne alors d'émotions de colère et d'irritabilité, indiquant que la personne se trouve en position de défense, car elle se perçoit comme victime d'une attaque.

Une personne seule désireuse d'arrêter une confrontation évite l'utilisation des formulations mentionnées précédemment ou elle arrête quand elle s'aperçoit que l'autre utilise ce langage. Quand deux personnes désirent éviter un tel piège dans le futur, il est nécessaire d'abord que les deux participants soient d'accord pour déployer l'effort requis afin de renverser le processus de la confrontation dès qu'ils deviennent conscients de sa présence. Il s'agit en deuxième lieu, aussitôt que cette première étape est franchie, de prendre des moyens communément acceptés pour briser le cercle vicieux : quitter la pièce, tourner le dos, s'agripper au partenaire, cesser de parler, crier STOP, etc. L'escalade qui pointe déjà pourrait contribuer à la détérioration de la relation et de la confiance mutuelle ; par conséquent, quand il s'avère possible de ne pas vivre une argumentation, on se doit de l'interrompre. Dans un troisième temps, l'idéal est de reprendre l'échange *à un moment calme et propice,* en termes de JE, chacun présentant ses besoins. Cette démarche conduira à un consensus.

LE CONSENSUS

Nous avons vu ce qui aboutit à une confrontation : deux positions opposées qui se juxtaposent et qui créent une impasse.

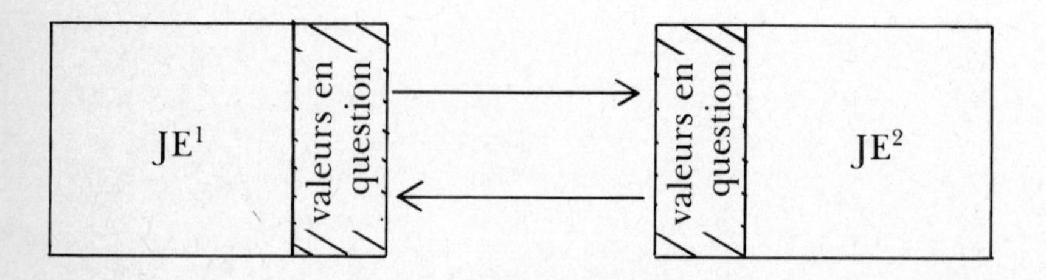

Par opposition à la confrontation, le consensus s'avère une fusion des valeurs de deux JE qui, loin de conduire à un cul-de-sac, permet une action concertée :

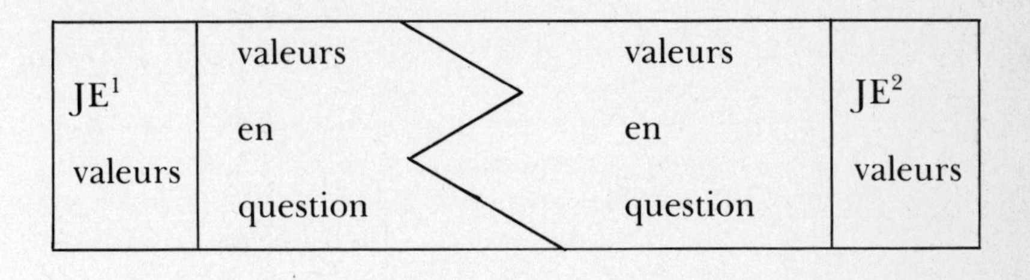

Le concept de souplesse est implicitement présent dans la fusion : comme l'indique la dernière illustration, les points de confrontation s'avèrent minimes par rapport aux aires d'accord mutuel. Cette souplesse est encore davantage mise en valeur par une deuxième caractéristique : la ligne de confrontation se trouve ici en mouvement au lieu d'être statique ; elle peut avancer, reculer, pointer, planer, etc. L'intensité de la valeur en cause varie et oscille tandis que la confrontation ne présente, au contraire, que de la rigidité.

Les valeurs d'un JE, lors d'un consensus, sont reçues par l'autre JE ; ce dernier accepte de partager le terrain avec le premier et vice versa. Ce type d'accommodation permet aux besoins de se transformer sous un angle positif.

Maintenant que l'on connaît les caractéristiques d'un consensus, quelles formulations verbales permettront à deux personnes d'y parvenir ? Souvenons-nous que la confrontation se compose d'un OUI et d'un NON ; un « je veux... » ou « j'aimerais... » s'oppose à un « je ne veux pas... » ou à un « je n'aime pas... ». En y appliquant certains correctifs, le dialogue pourra prendre une forme semblable à la suivante (si l'on reprend l'exemple de la page XXX) :

Parent 1.— J'ai dit à Jeanne qu'elle pourra aller au chalet de Diane pour la fin de semaine.

Parent 2.— Ah oui ? Est-ce que j'ai bien compris qu'elles seront seules ? Je n'aime pas cela. J'aimerais mieux qu'elles aient une surveillance quelconque.

Parent 1.— Voyons, j'ai l'impression qu'elle est assez responsable pour le faire. Je suis content/e qu'elle ait la chance de vivre ce genre d'expérience à part ça.
Parent 2.— Oui, c'est vrai. Pour être responsable, elle l'est. Cependant, je suis inquiet/e.
Parent 1.— Moi aussi... un peu. Tout de même, j'aimerais beaucoup qu'elle profite de l'occasion. Nous pouvons nous faire inviter là-bas pour le lunch de dimanche. Comme cela, nous pourrons nous assurer que ça va bien.
Parent 2.— D'accord, mais cependant la question de voyager en auto-stop n'est pas réglée ; nous pouvons leur prêter notre deuxième voiture. À bien y penser, je n'en aurai pas besoin.

Dans cet exemple, nous voyons comment les besoins de chaque JE se trouvent comblés et transformés positivement.

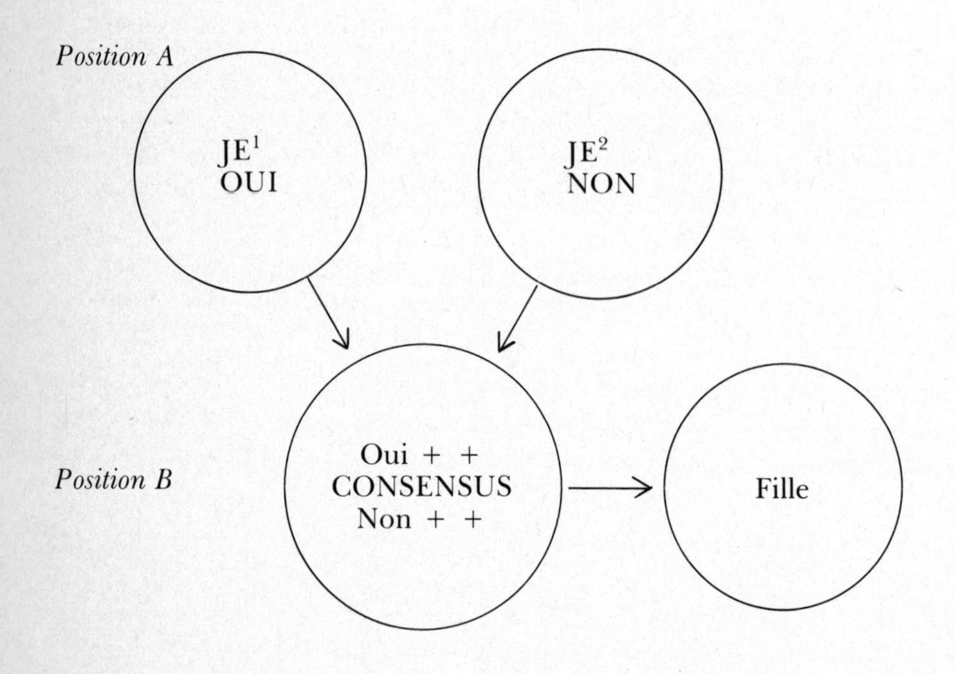

Parent 1 : « J'ai besoin que ma fille vive une expérience qui favorisera le fait qu'elle se prenne en main ; cependant, je veux m'assurer de sa sécurité. »
Parent 2 : « J'ai besoin que ma fille ne soit pas exposée à des dangers et à des vices, mais je lui permets d'élargir son champ d'expérience. »

Le consensus est alors transmis à la tierce personne.

Malgré l'apparente force d'un consensus, en tant que front commun ou démarche mutuelle, cette force peut être facilement démolie par le retour d'un des deux parents à sa position initiale, de façon ouverte ou implicite. Il n'est guère nécessaire d'élaborer sur ce qu'est la manière ouverte de changer d'idée : la personne confronte à nouveau ses valeurs à celles de l'autre, par rapport au même sujet. Malheureusement, les manières implicites de renverser un consensus peuvent s'avérer si banales qu'elles risquent de passer inaperçues ; un soupir du Parent 1, juste au moment où le Parent 2 informe sa fille qu'il aimerait aller au chalet pour le déjeuner du dimanche ; ou le visage réprobateur du Parent 2 lorsque le Parent 1 avise son enfant des derniers développements et de sa confiance en son sens des responsabilités, etc. Ces signes démontrent que leur OUI ou leur NON initial réapparaît à travers le consensus qui devient maintenant un double message :

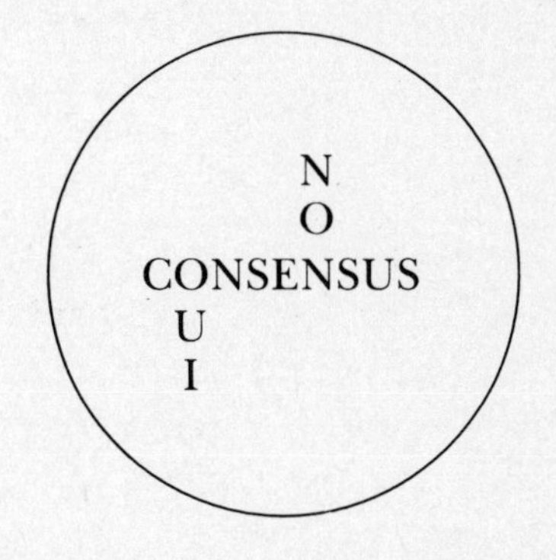

Volontairement exercé, le renversement d'un consensus revient à saboter le cheminement parcouru à deux, car toute démarche composée d'un OUI et d'un NON présents à la fois est vouée à l'échec.

VA CHEZ LE DIABLE !

La capacité de négocier et d'en arriver à un consensus constitue le niveau le plus sophistiqué de l'interaction humaine. Chacune de ces démarches requiert un niveau de développement émotionnel très poussé, ce développement étant étroitement relié au développement de l'autonomie. Cependant, il arrive des situations où le JE autonome est confronté à des pièges. À ce moment, soit qu'il donne du feed-back en fournissant à l'autre de l'information pour modifier son comportement (ce qui implique le temps et la volonté de poursuivre une telle piste avec une telle personne), soit qu'il refuse toute discussion en disant : « Va chez le diable ! » Cette formulation, qui est une formulation « tu », trouve sa justification dans la bouche du JE autonome uniquement sur la base du refus de jouer de l'autre partie. Sa prise de position NON n'offre aucune alternative. Il n'y a rien à négocier. C'est un refus ; donc, dans la formule « Va chez le diable ! », le message suivant est implicite :

> « Moi, je sais que tu m'as tendu un piège et, toi, tu sais que je sais, alors je ne tomberai pas dans le panneau ; de plus, tu savais que je ne tomberais pas, mais tu l'as fait pareil, alors, au diable avec toi. »

Cette technique pourrait être utilisée efficacement dans les relations voulues et travaillées, où il y a déjà un grand terrain décodé entre les deux parties et où les deux JE sont autonomes. C'est une façon de bifurquer du dramatique et d'introduire même une note d'humour dans la relation.

> « Ah oui ! Tu avais l'habitude de m'avoir avec cela, mais je sais que tu sais que ma force est de refuser maintenant d'être dupe. Va chez le diable ! »

Cette formulation pourrait encore être utilisée pour souligner davantage le sérieux de l'affaire et faire ressortir le fait que les deux parties doivent arrêter de traînasser autour du déjà vu ou des fausses pistes et entrer dans le nœud de la question sans tarder.

Évidemment, cette technique n'est pas à conseiller dans les nouvelles relations et surtout pas pour le néophyte autonome, pour la simple raison que la personne à qui le message est destiné est privée de l'information importante sur la personne qui parle.

Le pilote automatique

Toute la démarche décrite depuis le début s'effectue au niveau du JE conscient, c'est-à-dire que la personne fait appel à la connaissance consciente qu'elle a d'elle-même et de son milieu. Il existe cependant une autre dimension du JE, inconsciente cette fois, et inconnue de la plupart des gens. Le bagage du JE conscient et inconscient est le produit de ses expériences et de ses apprentissages tout au long de sa vie, car l'organisme intègre constamment de l'information sur soi-même, sur les autres et sur son milieu. Par exemple, une personne apprend que lorsqu'elle se minimise verbalement, une autre l'utilise contre elle ; elle décide alors de ne plus se minimiser. Cet apprentissage, vécu au niveau conscient, est basé sur ce qu'elle sait d'elle-même (je me minimise) et de l'autre personne (elle en tire avantage).

D'autre part, quand une personne se lève lors d'une projection de film pour aller s'acheter une liqueur douce, elle ne sait pas qu'elle a reçu un message subliminal intégré au film pour susciter sa soif. L'information (avoir soif) a été reçue par l'inconscient et a suscité un besoin conscient (boire).

Toutes les heures que nous passons éveillés sont remplies de messages reçus au niveau inconscient : les yeux captent une image ici et là, une couleur en passant, une forme, les oreilles captent des sons, les mains effleurent différentes textures, la langue goûte, le nez sent. Il en est de même dans nos relations interpersonnelles : notre cerveau enregistre de nouvelles informations concernant les situations ou les personnes et ces données s'emmagasinent selon deux critères : *j'aime ou je n'aime pas.*

Le conscient et l'inconscient vont ensemble comme une main et un gant ; ils sont le modèle l'un de l'autre. Cependant, beaucoup de gens ignorent l'importance du pouvoir de leur JE inconscient uniquement parce qu'il n'est pas manifeste. Autant le JE inconscient peut nuire au JE conscient, en l'envahissant par les névroses et les psychoses, autant le JE conscient peut influencer le JE inconscient. Et même, plus le JE conscient croît en autonomie et en authenticité, plus il favorise le développement de son JE inconscient dans la même direction.

Ce fait est très rassurant. Le JE autonome et conscient, lorsqu'il fait l'inventaire de son estime de soi, de ses capacités d'affirmation et de défense, de sa confiance dans ses outils d'interaction et d'adaptation, peut être certain que son JE inconscient *en possède autant ;* mieux encore : il peut compter sur son JE inconscient pour agir à sa place quand son conscient est occupé ailleurs. Ceci revient à dire qu'il ne faut pas tout faire tout le temps ; il y a une grande partie qui se fait « toute seule ». De même qu'un JE inconscient et soumis va renforcer d'une façon continue le JE conscient dans sa soumission, autant un JE inconscient peut travailler pour le JE conscient lorsque celui-ci s'établit des buts, prend des décisions, émet ses messages en termes de Je ou résiste à la triangulation.

Ce phénomène explique en partie la grande confiance du JE autonome : il ne sait pas toujours *comment* il va faire pour se sortir d'une impasse, mais il sait qu'il va y arriver. Il sait aussi que ce que son conscient ne peut pas faire, son inconscient le fera, car il a été programmé consciemment à agir dans le même sens que lui. De plus, le pilote automatique se branche automatiquement, il ne dort jamais et a besoin d'un minimum d'énergie physique pour opérer. C'est le pilote automatique qui agit lorsque nos pieds prennent un certain chemin et non un autre, faisant en sorte que les éléments d'une décision convergent enfin après tant de refus de prendre forme.

En plus d'être un grand acquis pour le JE autonome et conscient dans l'extension de son pouvoir, le pilote automatique sert de sécurité pour le JE, de protection contre le fait d'être à découvert, de la même manière qu'avec un compte *de* banque. Rappelons-nous que le JE autonome est caractérisé par la force de ses convictions, et qu'une conviction, de par sa nature même, exige d'être éprouvée ou confrontée. La période d'épreuve peut être longue ou courte ; à l'extrême, le JE ne vit que par ses convictions, dépourvu de feedback ou de retour et, donc, de résultats satisfaisants. La certitude que son pilote automatique continuera à « balayer l'horizon », à la quête d'un élément qui mettrait le reste en marche, sécurise le JE et le protège du découragement et du doute.

CONCLUSION

L'esquisse est jetée sur le tableau. Le grand trait fort et foncé est nul autre que le JE autonome à l'écoute de ses besoins par le biais de ses sentiments, ne doutant pas un seul instant de leur importance, indépendamment du contexte dans lequel le besoin se présente. Le JE sait où il finit et où les autres commencent ; ses paramètres sont nettement définis dans sa perception personnelle de lui-même, ce qui lui permet de se montrer dans son milieu d'une souplesse paradoxale, due à sa capacité de négocier.

Le JE autonome possède une conscience ultrasensible de son pouvoir décisionnel, soutenue par un respect averti des multiples pièges et des empêchements qui pourront barrer sa route. Ses instruments, affûtés par la pratique, exercent maintenant d'une façon quasi automatique leurs rôles d'affirmation et de défense du JE, surveillant farouchement toute emprise ou toute tentative de sabotage de ses fondations. Sa tolérance est accentuée par la conviction qu'il pourra toujours agir ; sa peur est calmée par sa capacité, maintenant développée, d'analyser systématiquement une frustration, une impasse, un échec. Devant l'évidence que seul le verbe agir importe, le temps et l'espace perdent leur impératif et leurs limites contraignantes.

Loin d'être fermement enraciné ou carrément planté sur l'horizontal, le JE est oblique, reflétant ainsi son individualité, son droit d'être glorieusement différent, sa folie aux yeux des autres, ainsi que la permission qu'il se donne de vivre son JE de la façon dont il le détermine.

Autour du JE, les espaces blancs témoignent de tout ce qu'il ne communique pas, mettant ainsi en relief les grandes lignes de la qualité de la communication qu'il choisit de faire. Parmi ses plus proches, il recherche activement le retour des autres afin de vivre la richesse des relations interpersonnelles satisfaisantes. Son appréciation des qualités des autres n'a pas de limites : ces qualités l'enrichissent et suscitent son émerveillement.

Il connaîtra le chagrin de ne pas pouvoir changer les autres et de perdre ainsi ceux qui, faute de volonté ou à cause de leurs mécanismes de défense trop rigides ou enracinés depuis trop longtemps, ne choisissent pas de l'accompagner sur la route de l'épanouissement personnel. Il est tellement conscient que sa démarche est personnelle que l'impact de son authenticité suscitera des réponses différentes chez les autres, parfois même la retraite. L'adulte plaignard, par exemple, se sentira totalement incompris à côté d'un adulte autonome et cherchera à rompre la relation par insatisfaction pure. Le JE s'attarde donc à cultiver les relations qu'il aime et qu'il veut en sachant qu'il a, quand même, à respecter le JE des autres.

Achevé d'imprimer
en février mil neuf cent quatre-vingt-quatre
sur les presses de l'Imprimerie Gagné Ltée
Louiseville - Montréal.
Imprimé au Canada